Moment mal!

Lehrwerk für Deutsch als Fremdsprache

Lehrbuch 3

von
Theo Scherling
Lukas Wertenschlag
Cornelia Gick
Martin Müller
Paul Rusch
Reiner Schmidt

in Zusammenarbeit mit
Edith Slembek

Langenscheidt

Berlin · München · Wien · Zürich · New York

Visuelles Konzept, Gestaltung und Illustrationen: Theo Scherling
Umschlaggestaltung: Theo Scherling und Andrea Pfeifer, unter Verwendung eines Fotos von Premium Stock
Photography, Düsseldorf (großes Foto) und eines Fotos von Thomas Lenhart, München (kleines Foto)
Aussprache-Teile: Edith Slembek
Redaktion: Gernot Häublein
Verlagsredaktion: Sabine Wenkums

Autoren und Verlag danken Kolleginnen und Kollegen, insbesondere Eva Fontana und Beda Künzle, die
Moment mal! erprobt und begutachtet sowie mit Kritik und wertvollen Anregungen zur Entwicklung des
Lehrwerks beigetragen haben.

Moment mal!
Lehrwerk für Deutsch als Fremdsprache
Materialien zur 3. Stufe

Lehrbuch 3	3-468-47791-0	Cassette 3.3 *(1 Testheft-Cassette)*	3-468-47798-8
Cassetten 3.1 *(2 Lehrbuch-Cassetten)*	3-468-47796-1	CD 3.3 *(1 Testheft-CD)*	3-468-47811-9
CDs 3.1 *(2 CDs zum Lehrbuch)*	3-468-47807-0	Einstufungstests	3-468-47812-7
Arbeitsbuch 3	3-468-47792-9	Glossar Deutsch–Englisch 3	3-468-47800-3
Cassette 3.2 *(1 Arbeitsbuch-Cassette)*	3-468-47797-X	Glossar Deutsch–Französisch 3	3-468-47801-1
CD 3.2 *(1 Arbeitsbuch-CD)*	3-468-47808-9	Glossar Deutsch–Griechisch 3	3-468-47802-X
Arbeitsbuch-Package *(Arbeitsbuch und Arbeitsbuch-CD)*	3-468-47799-6	Glossar Deutsch–Italienisch 3	3-468-47803-8
		Glossar Deutsch–Spanisch 3	3-468-47804-6
Lehrerhandbuch 3	3-468-47793-7		
Testheft 3	3-468-47795-3		

Symbole in **Moment mal! Lehrbuch 3:**

A7 **Aufgabe** 7 in diesem Kapitel

Hören Sie! *(Lehrbuch-Cassetten)*

Auftrag 1 **Auftrag** 1 hier ausführen!

Sprechen Sie!

Lesen Sie!

Schreiben Sie!

→Ü18 – Ü21 **Übungen** 18–21 im Arbeitsbuch gehören hierzu.

→Dossier **Zusatzmaterial im Arbeitsbuch** gehört hierzu.

 Lerntipp 70 im Arbeitsbuch gehört hierzu.

Achtung! Das müssen Sie lernen!

Regel oder wichtige Information zur Grammatik

Moment mal! berücksichtigt die Änderungen, die sich aus der Rechtschreibreform von 1996 ergeben.

Umwelthinweis: Gedruckt auf chlorfrei gebleichtem Papier

Druck:	5.	4.	3.	Letzte Zahl
Jahr:	2002	2001	2000	maßgeblich

© 1998 Langenscheidt KG, Berlin und München

Druck: Druckhaus Langenscheidt, Berlin
Printed in Germany · ISBN 3-468-**47791**-0

Inhaltsverzeichnis

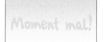

Inhaltsverzeichnis

Inhaltsverzeichnis

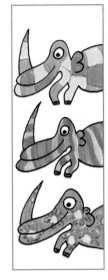

Sport und Sprache

1 Sport: aktiv/passiv

A1

Über Sport sprechen

a) Lesen Sie die 6 Äußerungen: Mit welchen sind Sie einverstanden? Mit welchen nicht?
b) Welche Sportarten interessieren Sie?

aktiv	passiv

c) Begründen Sie.

→Ü1 – Ü6

→Dossier

*an|feuern -
to spur on*

*aus|pfeifen - to
hiss/boo*

*die Ausrüstung -
equipment*

*übertragen =
to be broadcast*

① „Unser Fan-Club ist bei jedem Spiel dabei. Wir feuern unsere Mannschaft an und singen im Stadion. Der Gegner hat keine Chance. Den pfeifen wir aus! Da ist immer eine super Stimmung! Wir freuen uns über jeden Treffer. Und wenn wir ein Spiel gewonnen haben, sind wir die Größten!!!"

② „Ich treibe überhaupt keinen Sport. Aber wenn am Abend ein Fußballspiel im Fernsehen übertragen wird, da bin ich voll dabei! Ein gutes Spiel kann ich so richtig genießen, vor allem die Wiederholungen und die Zeitlupen-Aufnahmen von schönen Torszenen."

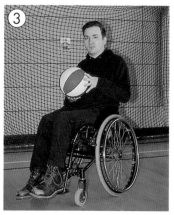

③ „Das Ballspielen hat mir sehr geholfen, nach dem Unfall meine Arme und Schultern wieder zu trainieren. Und unsere Spiele sind richtig spannend und schnell. Die meisten von uns haben vorher auch schon Sport getrieben. Man braucht vor allem den Mut, wieder neu anzufangen."

④ „Tischtennis ist für uns ideal: Da brauchen wir keine teure Sportausrüstung, und es ist einfach lustig! Wir spielen entweder nach der Schule oder am Abend noch eine Runde. Aber eigentlich nicht um Punkte! Wir freuen uns einfach, wenn der Ball lange hin- und herfliegt."

⑤ „Ach, lassen Sie mich mit Sport in Ruhe! Im Fernsehen und in der Zeitung kommt ja nichts anderes mehr – als ob das das Wichtigste wäre! Sport nutzt der Sportartikel-Industrie und sonst niemandem. Und was die vielen Verletzten jedes Jahr die Wirtschaft kosten!"

⑥ „Sport ist irgendwie sinnlich: Man spürt seinen Körper total! Es tut einfach gut, sich zu bewegen, die eigene Kraft zu fühlen und bis an seine Grenzen zu gehen. Die meiste Zeit verbringt man sonst ja doch sitzend oder stehend an seinem Arbeitsplatz."

Auftrag 1 Machen Sie Interviews im Kurs / mit Bekannten zum Thema Sport:
- Fragen Sie nach Interessen, Motivation, Vorlieben und Abneigungen im Sport.
- Stellen Sie die wichtigsten Informationen als Statistik/Tabelle zusammen.
- Präsentieren Sie Ihre Ergebnisse an der Tafel / als Plakat.

2 Sportler-Leben

A2

Informationen sammeln

Betrachten Sie die Fotos und lesen Sie die Texte: Was erfahren Sie über Stefanie?

•Bedeutung des Sports für Stefanie
•Biographie

→Ü7

→Dossier

ein|treten = to join

auf|hören = to stop

„Eiskunstlaufen war mein Leben!", sagt die 28-jährige Sportredakteurin Stefanie Töpfer. Mit acht Jahren trat sie in einen Schlittschuh-Klub ein. Als Jugendliche trainierte sie täglich mehrere Stunden. Und mit 17 Jahren nahm sie an der Deutschen Meisterschaft teil. Danach hörte sie zwar mit dem Leistungssport auf, aber Sport spielt immer noch eine wichtige Rolle in ihrem Leben, sowohl im Beruf als auch in der Freizeit.

Stefanie Töpfer trainiert den Nachwuchs

Unna, 6.8.1990. In den 80er Jahren war Stefanie Töpfer eine erfolgreiche Eiskunstläuferin. Bei zahlreichen Wettkämpfen und Meisterschaften stand sie auf dem Treppchen und holte für ihren Club so manche Medaille, bis sie als 18-Jährige ihre aktive Karriere wegen einer Verletzung beenden musste.

Heute, zwei Jahre nach ihrem Rücktritt, steht sie dem Verein als Trainerin für die Nachwuchsgruppe zur Verfügung. Die jungen Läuferinnen und Läufer können sowohl von ihrem theoretischen Wissen als auch von ihren reichen praktischen Erfahrungen profitieren. Stefanie Töpfer möchte sie mit viel Fleiß zur Leistungsspitze führen.

Was sie bei ihr gelernt haben, werden die kleinen Eisprinzen und -prinzessinnen am kommenden Wochenende beim Möhnsee-Cup zeigen können.

der Rücktritt - resignation

der Nachwuchs- offspring

sowohl... als - both... el

der Fleiß - industry

A3

Informationen vergleichen

Hören Sie, was Stefanie erzählt. Vergleichen Sie mit Ihren Notizen und ergänzen Sie.

→Ü8 – Ü9

Sport ist zwar aus Stefanies Leben nicht mehr wegzudenken: Nach ihrem Studium fand sie eine Stelle als Redakteurin bei einer Sportzeitschrift, aber die Zeit des Leistungssports liegt endgültig hinter ihr. Heute ist für Stefanie Sport vor allem ein Freizeitvergnügen – sie genießt es, zusammen mit anderen Sport zu treiben. Ihr Freund Jens ist Sportlehrer und begeisterter Volleyballspieler. Sie joggen regelmäßig zusammen, fahren Rad oder Inline-Skates, gehen schwimmen und laufen im Winter Ski. Manchmal spielen sie mit Freunden Volleyball. Stefanies Sportarten haben sich geändert, aber die Freude an der Bewegung ist geblieben.

3 Trainieren und lernen

A4

Vergleichen

a) Lesen Sie und hören Sie das Interview. Notieren Sie Unterschiede zwischen:

• Einzel-
sport
• Teamsport

b) Sehen Sie die Fotos an und lesen Sie: Was ist im Training wichtig? Notieren Sie.

Das *Moment mal!*-Team hat Stefanie und Jens über das Training im Einzel- und Teamsport befragt:

● Stefanie, Eiskunstlaufen und Volleyball sind zwei recht unterschiedliche Sport-arten. Aber gibt es für dich auch Gemeinsamkeiten?
○ Ähnlich ist wohl die Freude an der Bewe-gung, die Freude am Wettkampf und natürlich auch der Wunsch zu gewinnen. Ich glaube, da gibt es keine großen Unterschiede zwischen Teamsport und Einzelsport.
● Jens, welche Unterschiede siehst du?
■ …

c) Suchen Sie in den Texten Vergleiche zwischen Sport und Sprache. Notieren Sie.
d) Suchen Sie weitere Parallelen.

→Ü10 – Ü12

sich
erinnern an etwas

ergeben -to produce

eine Kür -a free
exercise

der Vortrag - a
talk

auswendig -by
heart

stürzen - fallen

„Ich erinnere mich noch gut an diese Situation. Da musste ich zum hundertsten Mal die gleiche Figur fahren. Ich hatte eigentlich überhaupt keine Lust mehr. Aber
5 unser Trainer hat immer gesagt: ‚Das Wichtigste ist die völlige Konzentration auf dich selbst und die Präzision der Bewegung.' Dafür hieß es im Training: ‚Üben, üben, wiederholen bis zum
10 Umfallen.'
Die einzelnen Schritte und vielen Figuren ergaben dann zusammen irgendwann einmal eine Kür.
Eine Kür ist für mich eigentlich wie ein Vortrag, den ich gut geplant und vorher
15 auswendig gelernt habe. Das Ziel beim Eiskunstlaufen ist natürlich eine gute Note. Jeder Fehler ist da eine Katastrophe! Wenn man aber doch stürzt, muss man so schnell wie möglich wieder aufstehen und
20 so tun, als wäre nichts passiert, und gleich weitermachen."
(Stefanie)

„Das war in einem Trainingslager. Da gab
25 es ziemlich Streit im Team und anschlie-ßend ist unser bester Spieler ausgestiegen. Das war bitter! consider
Wenn ich mir das so überlege, dann ist Volleyball wie ein Gespräch. Man spielt
30 sich den Ball zu; dabei weiß man nie, wie der andere reagiert. Du musst schnell sein und immer wieder überlegen: ‚Was will der andere wohl? Was will und kann ich?' In einem Trainingslager hat man mal
35 richtig Zeit zu überlegen: ‚Was haben wir als Team gut gemacht, was kann jeder Einzelne noch besser machen?'
Und dann geht's wieder los mit dem Training; teilweise machst du dann Einzel-
40 training, um etwas ganz Spezielles zu üben, aber oft trainieren wir auch change zusammen. Für mich ist die Abwechslung das Entscheidende: mal Kondition, mal Geschwindigkeit, mal Spielzüge. Nur
45 nicht zwei Stunden immer das Gleiche!"
(Jens)

4 „Vom Kopf in den Bauch"

Huixiang Lin ist Volleyball- und Tai-Chi-Trainerin. Sie lebt und arbeitet in der Schweiz und sie besucht auch einen Sprachkurs. Als das *Moment mal!*-Team sie über das Sprachenlernen interviewte, erklärte sie uns Folgendes:

„Deutsch habe ich schon in China gelernt. Ich hatte damals aber wenig Zeit zum Wiederholen. Ich habe viele Regeln gelernt und viel gelesen.

Erst hier in der Schweiz habe ich gelernt, Deutsch
5 *zu sprechen.*
Mein Deutschlernen sieht ungefähr so aus: so, wie eine Welle. Die Punkte auf der Linie sind die
10 *Korrekturen durch Lehrer und Partner im Kurs.*
Das ist etwa so, wie die Leute Volleyball lernen: Alle wissen, wie es geht,
15 *und können auch schon etwas spielen. Aber man muss sich und die anderen immer wieder korrigieren."*

20 *„Seit diesem Herbst lerne ich auch Französisch. Diese Sprache ist für mich ganz neu und fremd. Ähnlich wie Tai Chi für die Leute hier in Europa. Jetzt lerne ich eher so: Schritt für Schritt vorwärts und*
25 *aufwärts.*

Im Sport und beim Fremdsprachenlernen muss man viel wiederholen. Ein Beispiel: Ich habe im Kurs etwas Neues gelernt. Danach gehe ich nach Hause. Zu Hause
30 *denke ich: ‚Wie war das?' und probiere noch einmal aus, was wir eben gemacht haben. Nicht lange, nur 10 Minuten. Das genügt!*
Und am nächsten und übernächsten Tag
35 *wiederhole ich es nochmals, bis ich es kann. Erst muss man wissen, wie etwas geht, und dann kann man es anwenden. Es muss vom Kopf in den Bauch!"*

A5

Über Lernerfahrungen sprechen

a) Sehen Sie sich die Fotos an: Vergleichen Sie die beiden Linien. Was haben sie mit Lernen zu tun?
b) Lesen Sie den Text: Was sagt Huixiang Lin über Sprachenlernen und Sport?

→Ü13

A6

a) Erklären Sie mit einer Zeichnung, wie Sie bisher Sprachen gelernt haben.
b) Huixiang sagt: „Es muss vom Kopf in den Bauch!" Diskutieren Sie und sammeln Sie Beispiele.

→Ü14 – Ü15

Auftrag 2 – Was können Sie besonders gut? Wie haben Sie das gelernt?
– Wie würden Sie Ihr Können anderen vermitteln?
Schreiben Sie einen Bericht oder halten Sie einen Kurz-Vortrag und/oder spielen Sie eine typische Szene vor.

5 Kurs-Start

An der ProLingua-Sprachschule beginnt ein Zertifikatskurs Deutsch. Die Teilnehmer und Teilnehmerinnen sprechen über ihre unterschiedlichen Kursziele und erarbeiten zusammen ein Kursprogramm.

 A7

Über Motivation sprechen

a) Lesen Sie die drei Aussagen. Was trifft auch auf *Sie* zu? Notieren Sie.
b) Schreiben Sie Ihr eigenes Statement.
c) Vergleichen Sie Ihre Statements.

→Ü16

„Ich will mit meinem Freund nach Österreich gehen und dort weiter-studieren. Ich möchte auch mit seiner Familie und seinen Freunden Deutsch sprechen können. Sie alle können kein Italienisch. Für mein Studium muss ich auch Texte gut verstehen. Ich will das schnell lernen und regelmäßig zu Hause Deutsch üben."
(Franca, 21, Italien)

„Ich brauche Deutsch für meinen Beruf. Wir haben viele Kontakte mit deutschen Firmen, und da spricht man Deutsch oder Englisch. Mit meinem Deutsch geht es auch schon ganz gut. Außerdem will ich mich auch noch auf die Zertifi-katsprüfung vorbereiten. Es ist wichtig, Sprachzeugnisse zu haben!"
(Felipe, 26, Spanien)

„Ich habe gern Kontakt mit vielen Menschen. Zu Hause allein Wörter und Regeln lernen, das finde ich ziemlich langweilig. In einer Gruppe lernt man eben andere Leute kennen. Mein Mann sagt, ich muss nicht noch besser Deutsch lernen, aber ich will etwas für mich machen! Ich möchte zeigen, was ich kann."
(Svetlana, 24, Russland)

 A8

Ein Programm machen

a) Lesen Sie das Kursprogramm: Was fehlt Ihrer Meinung nach? Ergänzen Sie.
b) Stellen Sie Regeln und Ziele für *Ihren* Kurs auf.

→Ü17 – Ü19

→Dossier

> UNSER KURS
>
> „Schwimmen und fremde Sprachen lernt man auf ähnliche Art. Das volle Akzeptieren des Elements ist das Entscheidende."
>
> **Regeln**
> - regelmäßig kommen
> - Hausaufgaben regelmäßig machen
> - Rücksicht nehmen
> - einander zuhören
>
> **Was will ich besonders machen / üben?**
> - Aussprache üben
> - viel lesen – schwierige Texte
> - viel sprechen
> - für Zertifikat-Test üben
>
> **Was will ich nicht?**
> - viel schreiben
> - nur Grammatik
> (während einer Stunde
> - Hausaufgaben – keine Zeit

Auftrag 3 – Erarbeiten Sie Ihren persönlichen Trainingsplan.
– Vergleichen Sie mit anderen im Kurs.
– Hängen Sie Ihren Plan dort auf, wo Sie am liebsten Deutsch lernen.

6 Kurs-Ziel

eine Alltagssituation
verständigen = to inform

In einer Tischtennis-Pause im Stadtpark unterhalten sich Franca, Felipe und Svetlana über das Zertifikat Deutsch:

A9

Informationen und Argumente sammeln

a) Hören und lesen Sie das Gespräch: Was denken Franca, Felipe und Svetlana über das Zertifikat?

● Franca, machst du auch am Kurs-Ende das Zertifikat?

○ Ich weiß gar nicht genau, was das ist, das Zertifikat!

● Das ist eine Sprachprüfung, die international sehr bekannt ist. Es kann später im Beruf nicht schaden, wenn man Sprachzeugnisse hat.

○ Wozu brauche ich denn ein Zeugnis!? Entweder ich kann Deutsch oder nicht. Das merkt man auch ohne Zertifikat, und ich mag Prüfungen überhaupt nicht!

● ...

Lieber Felipe, ①

super, dass du weiter Deutsch lernst! Wegen dem Zertifikat musst du dir keine Sorgen machen. Das war bei mir überhaupt kein Problem! Ich war durch den Sprachkurs so gut vorbereitet. Alles, was wir in der Prüfung gemacht haben (Lesen, Hören, Schreiben, Sprechen und etwas Grammatik und Wortschatz), hatten wir im Unterricht schon trainiert. Du wirst sehen, die Prüfung macht direkt Spaß!

Alles Gute,
Alfredo

b) Lesen Sie die Texte ① und ②: Sammeln Sie Informationen und Argumente für/gegen die Teilnahme.

ablegen = to sit on exam

ProLingua-Sprachschulen ②

Zeigen Sie, was Sie können: Machen Sie ein Sprachdiplom!

Welche Sprachprüfung ist für Sie die richtige?

⇒ Haben Sie gute Grundkenntnisse im Deutschen und können Sie sich in wichtigen Alltagssituationen auf Deutsch verständigen?

⇒ Haben Sie etwa 400–600 Unterrichtsstunden Deutsch gehabt oder längere Zeit in einem deutschsprachigen Land verbracht?

Dann ist das **Zertifikat Deutsch** genau die richtige Prüfung für Sie!

1996 haben weltweit über 40 000 Personen die Zertifikatsprüfung abgelegt, davon über 50% mit sehr gutem oder gutem Erfolg.

Was nutzt Ihnen das Zertifikat Deutsch?
Das Zertifikat Deutsch ist weltweit bekannt. Es kann Ihre Chancen auf dem internationalen Arbeitsmarkt deutlich verbessern.

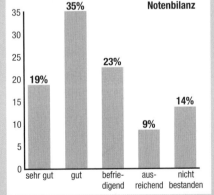

Notenbilanz

sehr gut	gut	befriedigend	ausreichend	nicht bestanden
19%	35%	23%	9%	14%

Wo können Sie diese Prüfung machen?
An Goethe-Instituten weltweit; an Volkshochschulen in deutschsprachigen Ländern; bei Institutionen, die Mitglied der International Certificate Conference (ICC) sind; oder an speziellen Prüfungszentren wie ProLingua.

Wie bereiten Sie sich auf die Prüfung vor?
ProLingua bietet für das Zertifikat Deutsch gezielt Sprachkurse an.

c) Wollen Sie das Zertifikat machen? Warum (nicht)? Diskutieren Sie.

→Ü20 – Ü22

A10

Wort-Feld: „Sport"

Schauen Sie den
Ball an, lesen Sie
Text A und die
Wort-Gruppen ① – ②.
Ergänzen Sie
die Wort-Gruppen:
– Ball-Sportarten,
– andere Sportarten.

A11

**Wörter
heraushören**

a) Lesen Sie
die Wort-Gruppen
③ – ⑦:
Welche Wörter
gehören aufs Spielfeld?
Welche daneben?
Ordnen Sie.
b) Hören Sie eine
Fußballreportage:
Notieren Sie
Fußball-Begriffe.

A12

Wörter assoziieren

Sammeln Sie
parallele Wörter zu
Sport/Sprachkurs:

Trainer/Lehrer

A13

**Über Sport
berichten**

a) Lesen Sie
die Texte A–C.
Sammeln Sie
Formulierungen:
ernst/witzig.
b) Machen Sie
selbst eine kurze
Fußballreportage.

7 Wortschatz

 ①

- der Ball
- mit j-m / gegen j-n spielen
- (der) Fußball
- (der) Basketball
- (der) Volleyball
- (das) Tennis

 ②

- laufen
- joggen
- schwimmen
- tanzen
- Rad fahren
- Ski laufen

 ⑤

- der Spieler, die -in
- der Trainer, die -in
- trainieren
- das Training
- die Mannschaft / das Team
- der Klub/Verein
- der Meister, die -in

⑥

- der Fußballplatz
- das Stadion
- die Halle
- das (Spiel)feld

A

Es war der Ball, der weich vorüberrollte,
mein lieber Herr, im großen und im ganzen.
Das war schon alles, was ich sagen wollte.
Der Ball, man sah ihn auf dem Rasen tanzen,
und mancher machte mit ihm, was er wollte, …
Er steigt und schwebt und gleitet wie gewohnt:
dort fliegt er, oben, schöner als der Mond.

(Ror Wolf)

das Tor / die Linie / der Schiedsrichter / der Stürmer / der Mittelfeldspieler / der Verteidiger / der Tormann

③

- der Sport
- Sport treiben
- sportlich sein
- fit sein
- sich fit halten
- sich bewegen
- die Bewegung
- ein Spiel machen

 ④

- der Freizeitsport
- der Leistungssport
- der Behinderten-sport

 ⑦

- das Spiel/Match
- (mit) 2:1 führen (zwei zu eins)
- ein Tor schießen
- auf Platz 1 sein
- (das Spiel) gewinnen/verlieren
- unentschieden (spielen)
- eine Chance nutzen/verpassen
- der Zuschauer, die Zuschauerin
- der Fan, –

B

Nur Unentschieden für Dortmund: 2:2 gegen Werder Bremen.

Dortmund. Eine spannende letzte Viertelstunde erlebten 55000 Zuschauer im Dortmunder Westfalen-Stadion. Dortmund, die spielerisch bessere Mannschaft, konnte vier Torchancen in der ersten Halbzeit nicht nutzen. Als in der 73. Minute durch Herzog das 0:1 für Bremen fiel, kam Bewegung ins Spiel: Schon vier Minuten später schoss Heinrich den Ausgleichstreffer; kurz danach führte Dortmund durch ein Tor von Chapuisat (80.) mit 2:1. Zwei Minuten vor Schluss glich dann Pfeifenberger für Werder noch zum 2:2-Unentschieden aus.

C

„Ja, meine Damen und Herren, das ist das Geräusch, das Sie alle lieben, (…) herzlich willkommen zu unserer aktuellen Nachmittagssendung. Ich darf Sie herzlich begrüßen. Es geht sofort los bei uns, und ich begrüße Sie. Es ist so weit. Und zwar jetzt, in jedem Augenblick: Jetzt geht es los. Fertig. Und es geht ab. – Die Mannschaften haben das Spielfeld betreten, in blauen Jerseys und weißen Hosen. (…)

Nun warten wir ab, was daraus wird. Der Ball liegt bereit. Der Ball ist rund."

(Ror Wolf)

8 Grammatik

Tempusformen der Verben

a) Die wichtigsten Formen und Bedeutungen

FORMEN:		BEDEUTUNGEN:
PRÄSENS	**Stefanie Töpfer trainiert den Nachwuchs**	*Das ist jetzt.*
PRÄTERITUM	Früher **war** Stefanie Töpfer eine erfolgreiche Eiskunstläuferin. Bei zahlreichen Meisterschaften **stand** sie auf dem Treppchen und **holte** für ihren Club so manche Medaille, bis sie vor zwei Jahren ihre aktive Karriere wegen einer Verletzung **beenden musste**.	*Das war früher.*
PRÄSENS	Heute **steht** sie dem Verein als Trainerin für die Nachwuchsgruppe zur Verfügung. Die jungen Läuferinnen und Läufer **können** sowohl von ihrem Wissen als auch von ihren Erfahrungen **profitieren**.	*Das ist jetzt.*
PERFEKT	Was sie bei ihr **gelernt haben**,	*Das war früher.*
FUTUR I	**werden** sie wohl beim nächsten Wettkampf **zeigen können**.	*Das passiert (vermutlich) später.*
PRÄTERITUM	„Ich **wollte** immer eine weitere Fremdsprache **lernen**.	*Das war früher.*
PERFEKT	Ich **habe** mich deshalb zu einem Sprachkurs **angemeldet**. Im Kurs **habe** ich jemanden **kennen gelernt**, mit dem ich	*Das war früher.*
PRÄSENS	regelmäßig zusammen **lerne** und **trainiere**. Das **ist** sehr gut für mich.“	*Das ist jetzt.*

---

1. PRÄSENS: *Das ist jetzt:* Zustand oder Geschehen in der Gegenwart, aktuell.

2. PERFEKT: *Das war früher / Das ist vorbei:* Zustand oder Geschehen in der Vergangenheit. Sehr oft in mündlichen Texten.

3. PRÄTERITUM: *Das war früher:* Zusammenhängendes Geschehen in der Vergangenheit.
Sehr oft in schriftlichen Texten (z.B. Erzählung, Zeitungsbericht).

4. FUTUR I: *Das passiert (vermutlich) später:* Geschehen in der Zukunft, meistens mit modaler Bedeutung (hier: Vermutung/Prognose).

---

b) Tempusformen und ihre Bedeutungen: Übersicht

→Ü7, Ü9

1. Wir **lernen** und **trainieren** jetzt zusammen.	Geschehen in der aktuellen Gegenwart	Präsens
2. Volleyball **ist** ein Teamsport.	Zeitlos gültige Sachverhalte	
3. Seit zwei Jahren **lerne** ich Deutsch.	Geschehen, das in der Vergangenheit begonnen hat und in der Gegenwart noch andauert	
4. Nächste Woche **machen** wir die Prüfung. Ab morgen **haben** wir Ferien.	Geschehen oder Zustand in der Zukunft; oft in Verbindung mit einer Temporalangabe der Zukunft („Nächste Woche", „morgen")	
6. Am 6. und 8. Mai 1945 **kapitulieren** die deutschen Truppen.	Historisches Geschehen	

WIEDERHOLUNG

Perfekt	1. „Meine erste Fremdsprache **habe** ich als Kind **gelernt**." „Ich **bin** den ganzen Tag zu Hause **gewesen**."	Geschehen in der Vergangenheit; sehr oft in gesprochener Sprache (in Süddeutschland, Österreich und in der Schweiz statt Präteritum)
	2.	Geschehen in der Vergangenheit; das Ergebnis dauert in der Gegenwart an, vor allem
	Die Sportarten **haben** sich **geändert**. Die Tür **ist geöffnet**.	a) bei „perfektiven" Verben und b) beim Zustandspassiv
	3. Die Kursteilnehmerinnen können in der Prüfung zeigen, was sie **gelernt haben**.	Vorzeitigkeit eines Geschehens (gegenüber einem Geschehen in der Gegenwart)
	4. „Nächste Woche **haben** Sie die Prüfung **bestanden**." Die Geschäfte **sind** morgen **geschlossen**.	Abgeschlossenes Geschehen oder Zustand in der Zukunft (mit Temporalangabe der Zukunft)
Präteritum	1. Sie **nahm** an zahlreichen Meisterschaften **teil** und **holte** viele Medaillen.	Zusammenhängendes Geschehen in der Vergangenheit (z. B. in Zeitungsberichten, Erzählungen)
	2. „Ich **war** Leistungssportlerin, **hatte** nie viel Freizeit, **schien** eine große Karriere vor mir **zu haben**."	Oft bei „sein", „haben", „scheinen" statt des Perfekts
	3. „Nach einer Verletzung **musste** ich meine Karriere als Eiskunstläuferin leider **beenden**."	Meistens bei Modalverb-Konstruktionen statt des Perfekts
Futur I	1. Nach ihrer Verletzung **wird** Stefanie (wohl) nie mehr Leistungssport **machen können**.	Prognosen/Vermutungen (mit den Formen der 3. Person Singular und Plural)
	2. Ich **werde** dir bei der Vorbereitung auf die Prüfung **helfen**.	Absichten/Versprechen (mit den Formen der 1. Person Singular und Plural)
	3. Du **wirst** heute zu Hause **bleiben**!	Aufforderung/Befehl (mit den Formen der 2. Person Singular und Plural)
	4. Es **wird** sich **zeigen**, ob das Sprachenlernen zum Trend des nächsten Jahrtausends wird.	Geschehen in der Zukunft (selten, meistens Präsens)
Plusquam- perfekt	1. Nachdem sie ihre Karriere **beendet hatte**, begann Stefanie, den Nachwuchs zu trainieren.	Vorzeitigkeit des Geschehens (gegenüber einem Geschehen in der Vergangenheit)

Zweigliedrige Konnektoren

→Ü14 – Ü15

1. „zwar – aber"

Stefanie hat **zwar** mit dem Leistungssport aufgehört, **aber** Sport spielt immer noch
Zwar hat Stefanie mit dem Leistungssport aufgehört, eine große Rolle in ihrem Leben.

„zwar"		„aber"
das eine,	aber auch	das andere

2. „sowohl – als auch"

Die jungen Eisläuferinnen können **sowohl** von ihrem Wissen **als auch** von ihren
Erfahrungen profitieren.

„sowohl"		„als auch"
das eine	ebenso wie	das andere

3. „nicht – sondern"

„Man kann **nicht** gleichzeitig viele Dinge gleich gut tun, **sondern** muss Prioritäten setzen."

„nicht"		„sondern"
nicht das eine,	aber	das andere

4. „nicht nur – sondern auch"

„Man spielt ja **nicht nur** Volleyball zusammen, **sondern** geht nach dem Training **auch**
noch gemeinsam etwas trinken."

„nicht nur"	„sondern auch"
(selbstverständlich) das eine; aber	besonders auch das andere

5. „entweder – oder"

Wir spielen **entweder** nach der Schule **oder** am Abend noch eine Runde Tischtennis.

„entweder"		„oder"
das eine	oder	das andere

6. „weder – noch"

Weder Stefanie **noch** Jens können sich ein Leben ohne Sport vorstellen.

„weder"		„noch"
nicht das eine	und	(auch) nicht das andere

7. „je – desto/umso"

„ **Je** häufiger ich zu Hause den Lernstoff wiederhole, **desto/umso** besser behalte ich ihn.
Je weniger ich aber wiederhole, **desto/umso** schneller vergesse ich."

„je"		„desto/umso"
das eine nimmt zu oder ab	und parallel dazu:	das andere nimmt (auch) zu oder ab

Plätze und Menschen

 A1

Bauwerke benennen

a) Notieren Sie die Bauwerke von den Fotos:

Kirche			
Turm			

b) Vergleichen Sie die Sehenswürdigkeiten aus dem Dialog mit Ihrer Liste.

→Ü1

 A2

Einen Text analysieren

Lesen Sie den Dialog noch einmal: Notieren Sie wichtige Informationen. Welche Aussagen sind absurd? Was für Aussagen fehlen für Sie?

→Ü2 – Ü4

 A3

Lesen Sie den Dialog mit Ihrer Partnerin / Ihrem Partner laut.

→Ü5 – Ü7

1 Eine „Stadtführung"

LIESL KARLSTADT:
Es geht weiter zum Marienplatz, zum Mittelpunkt des wirtschaftlichen Lebens von München. Die Mariensäule, errichtet
5 von Kurfürst Maximilian 1638 zum Gedächtnis des Sieges am Weißen Berge.

KARL VALENTIN:
Die Grundsteinlegung zur Erbauung des Marienplatzes erfolgte im Jahre 1412,
10 nachmittags um halb drei. Rechts unten liegt der Fischbrunnen, in welchem alle sieben Jahre der Schäfflertanz aufgeführt wird.

KARLSTADT:
15 Hier vor unseren Augen das Neue Rathaus – ein gotischer Bau von Hauberisser – 1908 vollendet. Im Turm das Glockenspiel. Kunstuhr mit Spielwerk. Zur Linken die Frauenkirche, Münchens größte, jedoch
20 nicht älteste Kirche. Erbaut von Jörg im 15. Jahrhundert. Die eigentümlichen Kuppeln sind das Wahrzeichen von München.

VALENTIN:
Der rechte Turm steht neben dem linken.
(…)

Eine ungewöhnliche Stadtführung von Karl Valentin und Liesl Karlstadt, den beiden bekanntesten Münchner Kabarettisten. Sie gehören zu München wie
5 die Türme der Frauenkirche. Ab 1911 sind sie fast vierzig Jahre lang zusammen aufgetreten, auf der Bühne und in Filmen. Ihre groteske Komik ist nicht leicht zu beschreiben; meist hat sie die Hilflosigkeit
10 des Menschen im Alltag zum Inhalt. Ihre Sprache ist voll absurder Logik. Als Filmemacher war Valentin Avantgardist: Bereits 1913 drehte er seine ersten Filme und nutzte die damals neuen Medien wie
15 Rundfunk und Schallplatte.
Valentin und Karlstadt sind in München unvergessen: Am „Viktualienmarkt" stehen Brunnen mit ihren Figuren. Dort liegen täglich frische Blumen.

→Dossier

Auftrag 1 – Sammeln Sie wichtige Informationen über einen Platz in Ihrer Stadt (Wohnort/Lernort): Daten zur Geschichte, Architektur, Anekdoten.
– Schreiben Sie damit einen Text für eine Stadtführung.
– Spielen Sie eine komische Variante dieser Stadtführung.

2 Kultur ohne Grenzen

Der Marienplatz ist das „Herz" der Stadt. Hier und auf anderen Plätzen und Straßen Münchens gibt es auch ungewöhnliche Feste: z. B. das „multi-kulti-fest ANDER ART".

Das große Fest der Kulturen

Samstag 27. Juli
das münchner multi-kulti-fest
ANDER ART

10.00 Uhr. „Tag der Vereine und Initiativen". Auftakt und Treffpunkt Münchner Freiheit. Parade durch die Leopold- und Ludwigstraße, Musikgruppen, internationale Trach- 5
ten, Chöre, Fabelwesen, Tanzgruppen, Stelzengänger, Percussion, Trommelcombos und viele Überraschungen.
12.00–18.00 Uhr Kulturfest Odeonsplatz. Auftritt der Vereine, Musik und Tanz, Folklore, Kleinkunst, Info-Stände, 10
internationale Gastronomie.

Einen Trachtenumzug der etwas anderen Art konnten am Samstag die Münchner erleben: 33 ausländische Kulturvereine zogen mit Musik und Tanz zum Odeonsplatz, wo mit einem 15
großen Multikulti-Fest das Festival „ANDER ART" begann. Noch bis zum Mittwoch gibt es Konzerte, Kabarett und Diskussionen, veran- staltet vom Ausländerbeirat und vom Kultur- referat der Stadt. 20
Heute ist um 18.00 Uhr die Podiumsdiskussion „In München geboren – aber nicht wirklich zu Hause" über die Zukunft der multikulturellen Gesellschaft. Dazu Aslan M. Ali, Vorsitzender des Ausländerbeirats: „Kultur ist mehr als Tanz 25
und Brauchtum, mehr als Gesang und Blasmu- sik. Wenn wir einander verstehen wollen, müs- sen wir lernen, unsere Kulturen zu verstehen."

Auftrag 2 Organisieren Sie einen Beitrag beim „multi-kulti-fest ANDER ART":
- Musik und Tanz
- Essen und Trinken
- Info-Stand

A4

Aktivitäten benennen

Was passiert alles auf einem Platz? Notieren und berichten Sie.

→Ü8

A5

Kleidung beschreiben

a) Hören Sie und notieren Sie Wörter zum Thema „Kleidung".
b) Beschreiben Sie die „Tracht" Ihrer Region.

→Ü9

A6

Argumentieren

a) Hören Sie das Interview: Was bedeutet „Brauchtum" für Maria Saura?
b) Was halten Sie von Brauchtum?

→Ü10 – Ü12

3 Schau-Plätze

  A7

Personen beschreiben

a) Betrachten Sie das Foto ①. Schreiben Sie einen Steckbrief von Franz W.

Alter:
Kleidung:
...:

b) Lesen Sie den Text und ergänzen Sie den Steckbrief.

→Ü13 – Ü15

  A8

Hypothesen bilden

Suchen Sie Zusammenhänge zwischen den Fotos ① und ②.

  A9

Gefühle beschreiben

a) Wann waren Sie zuletzt unter vielen Menschen?

Fest
Musik\veran-
Sport/staltung
Demonstration

Wie haben Sie sich dabei gefühlt?
b) Was bedeutet „Platzangst" für *Sie*?

→Ü16

①

„Ich heiße Franz Wimmer. Ich komme fast jeden Tag hierher. Seitdem ich in Rente bin, habe ich Zeit, viel Zeit! Ich wandere
5 durch die Stadt, jeden Tag, bei jedem Wetter, und immer wieder hierher zum Marienplatz.
Hier ist immer was los: viele
10 Bekannte, viele Fremde. Da gibt es immer viel zu schauen: Die Fremden schauen sich das Glockenspiel an, und ich schau mir die Fremden an –
15 Menschen aus vielen Ländern, aus allen Erdteilen.
Die kommen hierher, und ich muss nicht dorthin. Ich sehe das Fremde zu Hause.
20 Da auf dem Foto, das war ein guter Tag! Am vorletzten Spieltag wurden wir Meister! Das heißt, mein Fußballverein, der FC Bayern München,
25 wurde deutscher Meister. Mit meinem Transistor war ich live dabei!"

②

4 Spiel-Platz

①

②

- ● Ist das nicht anstrengend?
- ○ Arbeit ist immer anstrengend!
- ● Wie lange können Sie da ohne Bewegung stehen?
- ○ Bis zu fünf Minuten. Das ist ziemlich lang! Und dann bewege ich auch nur den Kopf. Das kommt vor allem auf die Zuschauer an. Wenn jemand etwas ruft oder auf sich aufmerksam macht, dann drehe ich den Kopf ruckartig, mechanisch, wie ein Roboter … .

- ● Sind Sie jeden Tag hier?
- ○ Nein, das geht von den Vorschriften her nicht. Aber einen Tag in der Woche trete ich an diesem Platz ein paarmal auf. Man darf ja jetzt auch nur noch eine Stunde an der gleichen Stelle spielen, sonst fühlen sich die Anwohner belästigt …
- ● Aber Sie machen doch gar keinen Lärm!
- ○ Ja, schon, aber wenn es gut läuft, stehen hier bis zu hundert Zuschauer, und es gibt Stau … .

Stadt München, Baureferat (Abteilung Verwaltung und Recht)

Folgende Vorschriften sind zu beachten:

1. Es werden täglich bis zu fünf Genehmigungen für den Vormittag (Spielberechtigung von 10.00 Uhr bis 13.00 Uhr) und fünf Genehmigungen für den Nachmittag (Spielberechtigung von 15.00 Uhr bis 22.00 Uhr) ausgegeben. Von 13.00 Uhr bis 15.00 Uhr darf nicht musiziert werden. Die Genehmigungen können an den Tagen Montag, Dienstag, Donnerstag oder Freitag jeweils in der Zeit von 8.30 Uhr bis 12.00 Uhr beim **Baureferat, Abt. V 43, Schwanthaler Str. 68, Zimmer 001, 80336 München,** kostenlos abgeholt werden. Für Mittwoch sind die Genehmigungen nur am Dienstag und für Samstag nur am Freitag zu den oben genannten Zeiten erhältlich.

2. Jeder Straßenkünstler kann pro Woche nur an einem Tag berücksichtigt werden.

3. Alle 60 Minuten muss der Straßenkünstler seinen Standplatz wechseln; jeder Standplatz darf pro Tag nur einmal bezogen werden.

4. Interessenten können die Genehmigung nur persönlich und unter Vorlage eines Personalausweises oder Passes abholen.

Auftrag 3 – Planen Sie mit Ihrem Partner / Ihrer Partnerin für Samstag einen Auftritt als Straßenkünstler(in) auf dem Marienplatz: Musik, Pantomime etc. Was müssen Sie vor dem Auftritt erledigen?
– Geben Sie eine Vorstellung im Kurs.

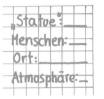

A10

Rollen beschreiben

a) Vergleichen Sie die Fotos:

„Statue":	
Menschen:	
Ort:	
Atmosphäre:	

b) Was tun Menschen auf einem Platz?
c) Zu welcher Tageszeit tun sie was? Sammeln Sie.
→Ü17

A11

Hören Sie. Beschreiben Sie den Arbeitsplatz des Straßenkünstlers.
→Ü18

A12

Pro und Kontra diskutieren

a) Hören und ordnen Sie die Aussagen:

Pro	Kontra
…	…

b) Und wie ist *Ihre* Meinung? Diskutieren Sie.
→Ü19

A13

Vorschriften verstehen

Lesen Sie den Text: Womit sind Sie einverstanden, womit nicht?
→Ü20 – Ü23

5 Platzgeschichte(n)

 **A14**

Bilder vergleichen

Betrachten Sie nur die Bilder:
a) Vergleichen Sie mit Ihrem Partner / Ihrer Partnerin.

- Gebäude
- Menschen
- Zeit

b) Aus welcher Zeit ist wohl Bild ①, aus welcher Bild ②? Begründen Sie.

→Ü25

→Dossier

① Der Marckt zu München.

②

 A15

Texte vergleichen

a) Was sehen die beiden Autoren auf dem Platz?
b) Wie beschreiben sie ihre Eindrücke?

→Ü26

③

Die Stadt hat einen schönen Markt, auf dem unlängst eine Säule von rotem Marmor aufgerichtet worden ist, auf deren Spitze die Mutter Gottes mit dem
5 Kindlein Jesu, auf dem Mond stehend, stattlich vergoldet, zu sehen ist. Es gibt einen stattlichen Handel in der Stadt mit Wein, Salz und Getreide, und jährlich werden zwei vornehme Märkte (…) ge-
10 halten (…), zu welchen Zeiten Komödien, Ritterspiele, (…) öffentliche Gastmähler auf dem Rathaus, Tänze und dergleichen gehalten werden.

④

Dann kam ich auf einen ehemaligen Platz. Es mußte ein bedeutender Platz gewesen sein; (…) Viele Menschen liefen mit gesenkten Köpfen vorbei, an-
5 dere starrten mit ihren trüben Augen auf Bretterwände auf meiner Seite. An sie waren unzählige Zettel geheftet, kleine, größere, schmutzige, mit Tinte, mit Bleistift beschrieben. Ich stellte
10 mich in die Reihe der Lesenden und las:
„Tausche große schöne Puppe gegen Brot." – „Wer gibt Butter gegen ein gut erhaltenes Fahrrad?" (…)
15 Das hier, dachte ich, während ich kaute, ist einmal die City einer Stadt gewesen. (…)

→Dossier

Auftrag 4 – Recherchieren Sie mit Hilfe Ihrer Notizen von Auftrag 1 ein wichtiges Ereignis auf einem Platz in Ihrer Stadt.
– Berichten Sie im Kurs.

Auftrag 5 Beschreiben Sie Ihren Lieblingsplatz. (Platz in einer Stadt, in der Natur, in Ihrer Wohnung, …)

6 Karl Valentins Olympiabesuch

A16

Gefühle beschreiben

Welche Gefühle löst das Foto bei Ihnen aus?
a) Sammeln Sie.

leer Platz

b) Vergleichen Sie mit A9.
c) Erfinden Sie eine Geschichte zum Bild.

A17

Erlebnisse schildern

a) Lesen Sie bis Zeile 15: Was passiert wirklich?
b) Beschreiben Sie eigene Erlebnisse:
– zu spät kommen,
– auf etwas/ jemanden warten.

Wie kam es, fragte ich mich selbst, daß ich zur Olympiade zu spät kam? – Ich blieb mir die Antwort nicht schuldig, Ihr Leichtsinn ist daran schuld! erscholl es von meinen Lippen. (Ihr bedeutet ich selbst). Denn aus Eigentrotz sagte ich selbst zu mir nicht du,

5 sondern Sie, weil man da vor sich selber viel mehr Respekt hat als mit der Duzerei. – Nur *einen* Tag zu spät und dennoch zu spät! – O Herr, bewahre mich bei der nächsten Olympiade 1940 vor solchen Etwaigitäten! – Trotzdem ich mich setzte, war es doch entsetzlich, als ich allein dasaß, in einer Hand die verfallene Ein-

10 trittskarte, die andere Hand in meiner eigenen Hosentasche. – Um mich herum saß nirgends niemand – das große Schweigen ringsumher war still und lautlos. – Meine einzige Unterhaltung war das Warten. Zuerst wartete ich langsam, dann immer schneller und schneller, kein Anfang der Olympischen Spiele ließ

15 sich erblicken – da endlich von mir ein schriller Blick, und meine Augen starrten hinunter zu dem Eingang bei der Kampffläche. – Ich sahte einen kleinen Jemand, der Jemand scheinte mich zu suchen, was diesem auf den ersten Blick gelang. Unsere Pupillen kreuzten sich in der Mitte unserer Entfernung. Ich saß – sie kam

20 – nur sie allein, die kleine Liesl Karlstadt, klärte mich darüber auf, daß gestern der letzte olympische Tag gewesen ist. – „Ist das schade!" schrie ich teilnahmserregt in den blauen Äther hinaus – ich schnellte langsam von meinem Sitz empor, flugs verließen wir die Stätte des großen Gewesenseins. Freudezerknittert traten wir

25 per Verkehrsmittel die Heimfahrt an in die Stammkneipe am Kurfürstendamm.

Ich sahte: Ich sah scheinte: schien

A18

a) Lesen Sie den Text bis zum Ende: Warum ist das Stadion so leer?
b) Was berichtet Karl Valentin wohl in seiner Stammkneipe? Spielen Sie!

→Ü29 – Ü30

 A19

Suchen Sie
zu Beispielsätzen
im Wörterbuch
passende
Situationen
auf dem Bild.

 A20

a) Sammeln Sie
„Platz"-Komposita:

b) Welche
Komposita passen
in diese Wortfelder?

c) Vergleichen Sie.

 A21

a) Notieren Sie
passende Wörter
und Ausdrücke
zum Bild.
b) Schreiben Sie
Sätze oder spielen
Sie Dialoge.

7 Wortschatz

Platz *der*; *-es*, *Plät·ze*; **1** e-e große Fläche (in e-m Dorf od. in e-r Stadt), die vor e-m Gebäude od. zwischen mehreren Häusern liegt ⟨ein großer, weiter, freier P.; über den P. gehen, fahren⟩: *Auf dem P. vor dem Rathaus steht ein großer Brunnen* ‖ K-: *Platz-, -konzert* ‖ -K: *Bahnhofs-, Dom-, Dorf-, Haupt-, Kirch-, Rathaus-* **2** e-e große Fläche im Freien, die e-n bestimmten Zweck hat ‖ -K: *Camping-, Eislauf-, Exerzier-, Fußball-, Golf-, Lager-, Minigolf-, Park-, Reit-, Renn-, Rummel-, Schieß-, Schrott-, Spiel-, Sport-, Tennis-, Übungs-* **3** P. (für j-n / etw.) nur *Sg*; ein Raum od. Bereich, in dem man sein kann od. den man mit etw. füllen kann ⟨keinen, viel, wenig P. haben; P. haben, machen, schaffen, (frei) lassen; j-m / etw. P. bieten⟩: *keinen P. im Wohnzimmer für ein Klavier haben*; *Haben Wir in diesem kleinen Auto zu fünft P.?*; *Lassen Sie nach dieser Zeile ein wenig P. frei!*; *Der Schrank nimmt viel P. weg* ‖ K-: *Platz-, -bedarf, -ersparnis, -mangel* **4** ein Ort, an dem man sein od. bleiben möchte ⟨ein windgeschützter, versteckter P.⟩: *ein schöner P. für ein Picknick*; *der richtige P. zum Erholen* ‖ -K: *Rast-, Liege-* **5** der Ort, an dem j-d / etw. war u. wo er / es sein soll: *Sie stellte das Buch an seinen P. zurück* ‖ NB: *mst mit Possessivpronomen!* **6** *mst* ein Sitz (od. e-e Stelle, an der man stehen kann) ⟨e-n P. suchen; j-m seinen P. anbieten; Plätze reservieren lassen; e-n guten, schlechten P. haben; etw. ist bis auf den letzten P. voll⟩: *Sind hier noch Plätze frei?* ‖ K-: *Platz-, -reservierung* ‖ -K: *Liege-, Sitz-, Steh-; Fenster-* **7** e-e verfügbare Stelle (*mst* bei e-r Institution) ⟨e-n P. im Kindergarten, Altersheim bekommen⟩ ‖ -K: *Heim-, Kindergarten-, Studien-* **8** die Position, die ein Mensch in Bezug auf e-n anderen Menschen od. e-e Gemeinschaft hat ⟨sein P. ist in der Familie, an der Seite seiner Frau; j-s P. im Leben, in der Gesellschaft⟩ **9** die Position, die j-d in e-m Wettkam⟨…⟩

erreicht ≈ Rang³ ⟨der erste, zweite P.; auf den ersten P. kommen; den ersten P. belegen, machen⟩: *Die beiden italienischen Teilnehmer belegten die Plätze drei u. vier* ‖ -K: *Tabellen-* **10** (j-m / für j-n) P. machen seine Position o. ä. so ändern, dass sich noch j-d (zu j-m) setzen kann od. dass j-d vorbeigehen kann **11** P. nehmen ≈ sich setzen: *Bitte nehmen Sie P.!* **12** P. behalten ≈ sitzen bleiben: *Bitte behalten Sie P.!* **13** fehl am Platz(e) sein zu etw. nicht passen ≈ deplaziert sein: *Deine Bemerkung war völlig fehl am Platz* **14** P.! verwendet, um e-m Hund zu befehlen, dass er sich hinsetzt od. hinlegt **15** am Platz(e) *veraltend*; in diesem Ort: *Er ist der größte Pelzhändler am Platze* ‖ ID j-n vom P. fegen *gespr*; j-n in e-m Wettkampf sehr deutlich schlagen; ein P. an der Sonne a) e-e angenehme Situation od. Position. b) Glück u. Erfolg im Leben; j-n auf die Plätze verweisen j-n in e-m Wettkampf besiegen

Platz·angst *die*; nur *Sg*; die Angst, die manche Menschen bekommen, wenn sie in e-m geschlossenen Raum od. mit zu vielen Menschen in e-m Raum sind ≈ Klaustrophobie ⟨P. haben, bekommen⟩

Platz·an·wei·ser *der*; *-s*, *-*; j-d, der im Kino od. Theater die Eintrittskarten kontrolliert u. dem Besucher zeigt, wo sein Platz ist ‖ hierzu **Platz·an·wei·se·rin** *die*; *-*, *-nen*

Plätz·chen *das*; *-s*, *-*; **1** ein kleiner Platz (1,4) **2** ein kleines, flaches, süßes Gebäck ⟨Plätzchen backen⟩ ‖ -K: *Weihnachts-* ‖ NB: *Plätzchen* bäckt man selbst, *Kekse* kauft man

plat·zen; platzte, ist geplatzt; *Vi* **1** etw. platzt etw. geht plötzlich (oft mit e-m Knall) kaputt, *mst* weil der Druck im Inneren zu stark geworden ist ⟨der Reifen, der Luftballon, die Naht⟩ **2** etw. platzt *gespr*; etw. führt nicht zu dem Ergebnis, das man geplant od. gewünscht hat ≈ etw. ⟨…⟩eitert ⟨e-e ⟨…⟩

8 Grammatik

Satzklammer: Übersicht

→Ü32

Vorfeld	VERB	Mittelfeld	VERB(-TEIL)	
		SATZKLAMMER		
Ich	komme	fast jeden Tag	hierher.	Trennbare Verben
Die Fremden	schauen	sich das Glockenspiel	an;	
ich	schaue	mir die Fremden	an.	
Wie lange	können	Sie da ohne Bewegung	stehen?	Modalverb + Infinitiv
Man	darf	nur eine Stunde an der gleichen Stelle	spielen.	
Dann	bin	ich auf einen ehemaligen Platz	gekommen;	Perfekt
ich	habe	mir	gedacht:	
Das hier	ist	einmal die City einer Stadt	gewesen.	
So etwas	hatte	ich bisher noch nicht	gesehen;	Plusquamperfekt
der Krieg	hatte	die ganze Stadt	zerstört.	
	Wird	man die Stadt jemals wieder	aufbauen?	Futur I
Vielleicht	werden	hier niemals wieder Menschen	wohnen.	
Täglich	werden	bis zu fünf Genehmigungen	ausgegeben.	Passiv
Diese	können	in der Zeit von 8.30 bis 12 Uhr	abgeholt werden.	
Von 13–15 Uhr	darf	nicht	musiziert werden.	
Folgende Regeln	sind	unbedingt	zu beachten:	„sein/haben" + Infinitiv mit „zu"
Die Genehmigungen	sind	einen Tag vor dem Auftritt	zu beantragen.	
Alle	haben	sich an diese Zeiten	zu halten.	
Niemand	ließ	sich in dem großen Stadion	sehen.	„sich lassen" + Infinitiv
	FINITES VERB		PRÄFIX INFINITIV (+„zu") PARTIZIP II	

WIEDERHOLUNG

Ausklammerung ins Nachfeld

Vorfeld	VERB	Mittelfeld	VERB(-TEIL)	Nachfeld
		SATZKLAMMER		
Sie	sind	fast 40 Jahre zusammen	aufgetreten,	auf der Bühne und in Filmen.
Sie	traten	die Heimfahrt	an	in die Stammkneipe am Kurfürstendamm.

☞ **Ausklammerung: Entlastung** des Mittelfelds / **Hervorhebung** der Information

→Ü27 – Ü28 **Aktiv – Vorgangspassiv – Zustandspassiv**

a) Bedeutung

Aktiv	Vorgangspassiv	Zustandspassiv
Die Arbeiter richten die Säule auf.	Die Säule wird aufgerichtet.	Die Säule ist aufgerichtet.
AKTEUR(E) A K T I O N	A K T I O N	Z U S T A N D

Jemand heftet	die Zettel an.	Die Z.	werden angeheftet.	Die Z.	sind angeheftet.
Ich öffne	die Tür.	Die Tür	wird geöffnet.	Die Tür	ist geöffnet.
Er bewegt	den Kopf.	Der Kopf	wird bewegt.	– – –	

☞ Zustandspassiv: Das **Verb** beschreibt einen **Vorgang**, der einen **neuen Zustand** schafft.
Der **neue Zustand dauert an**.

b) Zustandspassiv: Bildung

Die Säule ist aufgerichtet worden.
Die Zettel waren angeheftet worden.

Die Säule ist aufgerichtet ~~worden~~
Die Zettel waren angeheftet ~~worden~~

PERFEKT VORGANGSPASSIV	→	PRÄSENS ZUSTANDSPASSIV
PLUSQUAMPERFEKT VORGANGSPASSIV	→	PRÄTERITUM ZUSTANDSPASSIV

c) Zustandspassiv: Bedeutung der Tempusformen

Die Säule ist aufgerichtet.
Die Zettel sind angeheftet.

Die Säule war aufgerichtet.
Die Zettel waren angeheftet.

☞ Der Zustand dauert in der **Gegenwart** an.

Der Zustand dauerte in der **Vergangenheit** an.

→Ü11 – Ü12 **Passiv ohne Subjekt oder mit „es"**

Vorfeld			
Bei dem Festival	sangen und tanzten die Teilnehmer.	AKTIV (ohne Akkusativ)	
Bei dem Festival	wurde gesungen und getanzt.	PASSIV (ohne Subjekt)	
Die Teilnehmer	sangen und tanzten.	AKTIV (ohne Akkusativ)	
Es	wurde gesungen und getanzt.	„es" + PASSIV	

☞ **Passivfähige** Verben **ohne Akkusativergänzung: Passiv ohne Subjekt** oder **Passiv mit „es"** im Vorfeld

„bekommen"-Passiv

→Ü30 – Ü31

Liesl Karlstadt schenkt	Karl Valentin	eine Eintrittskarte	.
	DATIVERGÄNZUNG	AKKUSATIVERGÄNZUNG	

Karl Valentin	bekommt (von Liesl Karlstadt)	eine Eintrittskarte	geschenkt.
SUBJEKT		AKKUSATIVERGÄNZUNG	

☞ **„bekommen"-Passiv: Dativergänzung** im Aktivsatz → **Subjekt** im Passivsatz.
Verb im Aktivsatz → **Partizip II** im Passivsatz.

Passiv: Indikativ-Formen

Der Angestellte beim Baureferat hat gesagt:

„Täglich **werden** bis zu fünf Genehmigungen **ausgegeben**. Von 13 bis 15 Uhr **darf** nicht **musiziert werden**. Die Genehmigungen **können** in der Zeit von 8 Uhr 30 bis 12 Uhr **abgeholt werden**."

Konjunktiv-Formen

→Ü22 – Ü23

Der Angestellte beim Baureferat hat gesagt, täglich **würden** bis zu fünf Genehmigungen **ausgegeben**. Von 13 bis 15 Uhr **dürfe** nicht **musiziert werden**. Die Genehmigungen **könnten** in der Zeit von 8 Uhr 30 bis 12 Uhr **abgeholt werden**.

☞ **Konjunktiv Passiv: Die finiten Verbformen** stehen im **Konjunktiv.**

Passiv-Ersatzformen

→Ü24

a) „sich lassen" + Infinitiv Aktiv

Sie müssen sich an die Regeln halten, das **lässt sich** nun mal nicht **ändern**!

Sie müssen sich an die Regeln halten, das **kann** nun mal nicht **geändert werden**!

„sich lassen" + INFINITIV AKTIV	=	„können" + INFINITIV PASSIV

b) „sein" + Infinitiv mit „zu"

Folgende Regeln **sind zu beachten**.

Folgende Regeln **müssen beachtet werden**.

„sein" + „zu" + INFINITIV AKTIV	=	„müssen" + INFINITIV PASSIV

Das Problem **ist** leicht **zu lösen**.

Das Problem **kann** leicht **gelöst werden**.

„sein" + „zu" + INFINITIV AKTIV	=	„können" + INFINITIV PASSIV

Eine Radiosendung

1 Beruf: Redakteur

 A1

Zusammenhänge erkennen

Suchen Sie einen Zusammenhang zwischen den Texten und Bildern auf dieser Seite. Sammeln und vergleichen Sie.

Auftrag 1

→Ü1

Ernst Buchmüller, geb. 1952

- Studium: Germanistik, Anglistik, Journalistik
- Anschließend verschiedene Berufe: Betreuer für geistig behinderte Kinder, Steuerberater u. a.
- Seit 1982 beim Schweizer Radio als Journalist und Moderator von Musiksendungen
- Seit 1987 beim Schweizer Fernsehen als Journalist und Moderator von Musik- und Kulturprogrammen
- Seit 1990 Redakteur bei der Talkshow FOCUS
- Seit 1994 Ausbilder für Journalist(inn)en
- Autor und Regisseur von Filmdokumentationen, u. a. über den Schriftsteller Friedrich Dürrenmatt (1994)

 A2

Lebensläufe vergleichen

Vergleichen Sie wichtige „Momente" in den beiden Lebensläufen. Welche Unterschiede/ Gemeinsamkeiten gibt es?

→Ü2 – Ü3

Daniel Goeudevert

wurde 1942 im französischen Reims geboren. Mit 16 war er französischer Vizemeister im Kugelstoßen.
An der Pariser Sorbonne studierte er Literatur. Sein erster Beruf war Deutschlehrer, bevor er Autoverkäufer wurde und eine märchenhafte Karriere als Automobilmanager begann:
- Vorstandsmitglied bei Citroën Deutschland
- Generaldirektor bei Renault Deutschland
- Vorstandsvorsitz bei Ford Deutschland
- Mitglied des Konzernvorstandes von VW.
Goeudevert hatte Erfolg als „Verkaufskünstler" und wurde bekannt durch seine unkonventionelle Art: So veranstaltete er ein Kunstspektakel mit dem Künstler HA Schult oder er holte den ehemaligen Präsidenten der UdSSR, Michail Gorbatschow, in die Werkshallen von VW.

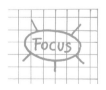 **A3**

Informationen ordnen

Lesen Sie Informationen über die Sendung FOCUS und notieren Sie dazu Stichpunkte:

(Focus)

→Ü4

Gesprächssendung „FOCUS" von Radio DRS 3

FOCUS, die wöchentliche Talkshow von DRS 3, steht jeden Samstag zwischen 13 und 14 Uhr auf dem Programm. Die Redakteure laden Gäste aus den Bereichen Politik, Wirtschaft, Sport und Kultur ein. Die Sendung geht andere Wege als die üblichen Kurz-Talkshows: Sie bietet die Möglichkeit, in einem längeren Gespräch Diskussionspunkte zu vertiefen und so den eingeladenen Gast etwas näher kennen zu lernen.

Schweizer Radio DRS
DRS 3, Studio Zürich

Brunnenhofstrasse 22, 8057 Zürich
Postfach, 8042 Zürich
01-366 11 11, Fax 01-363 29 70

Auftrag 1 — Wie haben Sie den Zusammenhang zwischen Texten und Bildern gefunden?
- Machen Sie Notizen zur Methode, mit der Sie A1 gelöst haben.
- Erklären Sie in Partnerarbeit Schritt für Schritt Ihr Vorgehen.

33

2 Im Radiostudio

Zu Besuch im Studio

Das *Moment mal*-Team hat den Radiojournalisten Ernst Buchmüller an seinem Arbeitsplatz im Studio Zürich besucht. Dabei haben wir einen Einblick in die Produktions- und Aufnahmearbeiten bekommen und zugleich viele Einzelheiten aus dem Alltag eines Rundfunkredakteurs kennen gelernt. Die Arbeitsbeschreibung zur Sendung FOCUS etwa zeigt, dass neben der eigentlichen Produktion einer Sendung (am Mikrofon, Sendepult usw.) sehr viel Vorbereitung (z. B. durch Redaktionssitzungen im Team und Pressearbeit), aber auch Nachbereitung nötig ist (z. B. Hörerpost, Dankesbriefe schreiben).

FOCUS: Arbeitsbeschreibung

- **Redaktionskonferenz**
- **Organisation**
  - Gast einladen
  - Sende-/Aufnahmeort organisieren
- **Recherchieren**
  - Personen- oder Themendokumentation erstellen
  - Thematische Schwerpunkte des Gesprächs festlegen
- **Pressearbeit**
  - Pressetext(e) frühzeitig verschicken
  - Infotexte ans Sekretariat schicken
- **Produktion**
- **Nachbereitung**

A4

Stichpunktzettel anlegen

a) Ordnen Sie die Informationen zur Sendung FOCUS auf dieser Seite:

Redaktion:
Gäste:
Hörer:

b) Hören Sie den 1. Teil des Interviews mit Ernst Buchmüller und ergänzen Sie Ihre Stichpunkte aus a).

→Ü5 – Ü6

Aufnahmearbeiten im Radiostudio

In der Redaktionskonferenz

- ● Ich schlage Goeudevert vor, weil er im Moment aktueller als alle anderen ist.
- ○ Das find ich gar nicht! Der war vor zwei Jahren ein Thema, als er bei VW gehen musste.
- ● Ja, aber sein neues Buch ist ein Bestseller.
- ■ Für mich ist auch das Buch das Hauptargument. Und außerdem hat er noch viele andere interessante Seiten: die Idee mit der Managerschule zum Beispiel, oder …
- ☐ Ich bin auch für Goeudevert. Ich bin nur skeptisch, weil er mal gesagt hat, dass er keine Interviews mehr gibt.
- ● Schon, aber ich habe gestern seine Sekretärin angerufen, und die meint, das könnte gehen.
- ○ Und wenn es nicht klappt mit Goeudevert?
- ☐ Dann können wir immer noch … .

A5

Argumentieren und begründen

Lesen Sie das Gespräch: Sammeln Sie Aussagen für/ gegen den Gast Goeudevert.

für	gegen
…	…
…	…

→Ü7

Auftrag 2 Inszenieren Sie eine Redaktionskonferenz für eine neue Talkshow:
  – Definieren Sie „Ihre" Talkshow: Gäste, Hörer, Themen, …
  – Schlagen Sie „Ihren persönlichen Wunschgast" für eine Talkshow vor. Notieren Sie vorher auf einem Stichpunktzettel Argumente für Ihren Gast.
  – Einigen Sie sich in der Gruppe auf einen Gast.

Auftrag 3 Bewerben Sie sich als Gast für eine Talkshow: Notieren Sie vorher wichtige und originelle Stationen Ihres Lebens (Kindheit, Schule, Ausbildung, Beruf, Familie …).

3 Vor der Sendung

A6

Texte und Bilder thematisch auswerten

a) Ordnen Sie die Texte/Bilder ①–⑧ zu thematischen Schwerpunkten.
b) Vergleichen Sie mit den Notizen von Ernst Buchmüller in A7.

→Ü8

①

Aktionszyklus: *Fetisch Auto* (HA Schult, Köln 1989)

②

CAMPUS DORTMUND

EINE IDEE
STELLT SICH VOR
*Ganzheitliche Qualifizierung für
das dritte Jahrtausend*

AN IDEA IS PRESENTED

③ **DIE WELT**
UNABHÄNGIGE TAGESZEITUNG FÜR DEUTSCHLAND

„Eigenschaften sind wichtiger als Qualifikationen"
Daniel Goeudevert über die Gründung der neuen Hochschule CAMPUS in Dortmund und über die Anforderungen an erfolgreiche Manager.

④ **Tages-Anzeiger**

Erst verkaufte Daniel Goeudevert sehr erfolgreich Autos. Dann kultivierte der geschasste Ex-Topmanager bei VW grüne Ideen. Und jetzt preist der gebürtige Franzose seine Autobiografie mit dem Titel „Wie ein Vogel im Aquarium" an.

⑤ **CHEF**
Chancen • Ideen • G...
Das Wirtschaftsmagazin für unternehmerischen Erfolg
G 12865 F

Manager: Ex-VW-Vorstand Daniel Goeudevert rechnet mit Wirtschaftsbossen ab.

⑥

GREEN CROSS
Gib der Erde eine Chance!

⑦ **profil**

Chef von Ford Deutschland: „Ich könnte mit einem Tempolimit auf deutschen Straßen leben!"

⑧ **DER SPIEGEL**

**Interview mit Ex-VW-Vorstand Daniel Goeudevert nach dem Absturz aus der Chefetage:
„Für die Autoindustrie bin ich als Manager tot. Außerdem habe ich etwas anderes zu tun, etwas Besseres, wie ich finde."**

Auftrag 4 Zu Gast in einer Talkshow: Sie sollen über Ihr Land Auskunft geben.
– Worüber könnten Sie auf Deutsch gut sprechen?
– Mit welchen Themen hätten Sie noch Probleme? Sammeln Sie Beispiele.
– Begründen Sie in der Gruppe.
– Geben Sie sich gegenseitig Tipps.

→ Goeudevert

Thematische Schwerpunkte der Sendung:

- Rauswurf bei VW – keine Macht mehr
- Kranke Manager / kranke Wirtschaft
- Jugend: Sport und Karriere
- Manager und Frauen: Sekretärinnen / aufopfernde Ehefrau
- Kunst und Wirtschaft; Aktionszyklus mit HA Schult
- Verhältnis zwischen Deutschen und Franzosen; kulturelle Unterschiede
- Ein Franzose macht in Deutschland Karriere
- Umweltschutz / Verantwortung für die Natur – „Green Cross International"

Fax von: **DRS 3**

an: **Herrn Daniel Goeudevert**

Betreff: **Gesprächssendung „FOCUS"
von Radio DRS 3**

Zürich, 7.10.

Sehr geehrter Herr Goeudevert,

wir möchten Sie gerne am kommenden Samstag in unserer Radio-Talkshow als Gast begrüßen. Die Sendung gibt uns die Gelegenheit, über Ihr neues Buch zu sprechen, aber auch mehr zu erfahren über Ihren Werdegang als Manager, über die Funktion der Wirtschaft in unserer Gesellschaft und nicht zuletzt auch über unsere Umweltprobleme sowie Ihre Tätigkeit bei „Green Cross International".

FOCUS ist eine Live-Sendung und steht am Samstag von 13–14 Uhr auf dem Programm. Wir können die Sendung aber auch problemlos gegen Ende dieser Woche (Donnerstag oder Freitag) in einem unserer Studios in Bern oder Genf aufzeichnen. Die Aufzeichnung dauert etwa eine Stunde; Sie müssten sich also für uns ca. 1½ Stunden Zeit nehmen.

Es würde mich sehr freuen, wenn die Sendung zustande käme.

DRS 3 Deutsche und Rätoromanische Schweiz	**TSR** Suisse romande
6.00 Weekend. 13.00 Focus. Gast bei Ernst Buchmüller: Daniel Goeudevert. Der ehemalige Topmanager von VW macht immer wieder durch unkonventionelle Ideen Schlagzeilen und ist heute neben Michail Gorbatschow Vizepräsident der Umweltorganisation „Green Cross International". 14.00 Weekend mit Superboss. 18.00 Weekend mit Sport. 22.00 Let's Dance. 2.00 Couleur 3.	7.00 Euronews. 7.35 Alice au Pays des merveilles. 8.00 Beethoven. 8.25 Il était une fois … la vie. 8.50 Hot dog. 10.20 Dodo, le retour. 10.25 L'enlèvement des Sabines. Film de Richard Pottier (F 1961). 11.55 Vive le cinéma. 12.10 Magellan. Le prix de la mémoire (3). 12.45 TJ-midi. 13.00 TV à la carte. 13.05 Space 2063. 13.45 TV à la carte (suite). «Robocop», «Walker Texas Ranger»,

Auftrag 5 – Sie sind Gastgeber einer Talkshow: Worüber möchten Sie mit Ihrem Wunschgast (vgl. Auftrag 2) sprechen?
– Was möchten Sie über das Land, aus dem Ihr Gast kommt, erfahren? Schreiben Sie eine Liste mit sechs thematischen Schwerpunkten für Ihre Sendung.

Auftrag 6 – Schreiben Sie eine Einladung an Ihren Wunschgast.
– Formulieren Sie einen kurzen Pressetext über sie/ihn und die Talkshow.

A7

Eine Themenliste erstellen

Haben Sie andere Vorschläge für ein Gespräch mit Goeudevert? Ergänzen Sie die thematischen Schwerpunkte.

→Ü9

A8

Eine Einladung schreiben

Lesen Sie den Brief. Formulieren Sie einen Schluss und vergleichen Sie.

→Ü10 – Ü11

A9

Info-Texte auswerten

a) Hören Sie den Programmhinweis und vergleichen Sie mit den Presseausschnitten.
b) Welche Informationen über Goeudevert sind neu für Sie?

→Ü12 – Ü13

4 Die Sendung

A10

Ein Gespräch
vorbereiten

a) Hören Sie
den 2. Teil des
Interviews mit
Ernst Buchmüller.
Beschreiben Sie
seine Vorbereitungen
– für den Gast,
– für sich selbst.
b) Was ist das Ziel
seiner Vorbereitung?

→Ü14 – Ü15

A11

Gesprochene und
geschriebene
Sprache
vergleichen

a) Hören und lesen
Sie den Anfang
der Radiosendung:
Warum spricht
der Redakteur wohl
zuerst Dialekt und
dann Hochdeutsch?

FOCUS: Goeudevert   S. 1
Ablauf der Sendung DRS 3, Samstag, 12. 10.

Das ist der FOCUS auf DRS 3, am Mikrofon Ernst Buchmüller.
Mein heutiger Gast heißt Daniel GOEUDEVERT. Er ist während mehr als 25 Jahren
Topmanager in der deutschen Autoindustrie gewesen, an der Spitze von Citroën,
Renault, Ford und VW.
1993 hat er seine Position als zweithöchster Mann bei VW verlassen müssen und hat
sich seitdem nicht mehr um die Autoindustrie gekümmert.
Er ist heute – neben Michail Gorbatschow – 1. Vizepräsident der Umweltorganisation
Green Cross International und seit längerer Zeit daran, in Deutschland eine
Managerschule von einer eher besonderen Art aufzubauen.
Daniel Goeudevert hat sich in der Industrie nicht immer „comme il faut" verhalten,
ist ab und zu als Paradiesvogel gehandelt worden. Und Daniel Goeudevert hat
jetzt seine Erfahrungen und Erlebnisse in einem Buch beschrieben. Das Buch heißt:
Wie ein Vogel im Aquarium. Aus dem Leben eines Managers.

• Heißt das, Daniel Goeudevert, dass Sie als Manager eigentlich nie „im richtigen Element"
  waren?
• Was ist das richtige Element eines Managers?
• Was ist denn überhaupt ein Manager?
• Was macht denn eigentlich ein Topmanager den ganzen Tag?

b) Hören Sie den
Anfang der Sendung
noch einmal.
Lesen Sie dann
die ersten 4 Fragen
von Ernst Buchmüller.
Hält er sich
im Gespräch an
seine Vorbereitung?

→Ü16 – Ü20

Auftrag 7 Formulieren Sie gemeinsam Ratschläge:
   – Wie bereitet man sich als Gast/Gastgeber am besten auf eine Sendung vor?
   – Was könnte man kurz vor der Sendung tun, um nicht nervös zu sein?
   – Wie bereitet man einen Gast auf ein Gespräch vor?
   – Was macht man, wenn man sich verspricht, wenn man einen Fehler macht?
   – Wie reagiert man, wenn man eine Frage oder ein Wort nicht versteht?
Präsentieren und diskutieren Sie Ihre Tipps in der Gruppe.

→Dossier

Auftrag 8 Suchen Sie ähnliche Ratschläge für das Verhalten vor/während einer Prüfung.

FOCUS: Goeudevert   S. 2
Ablauf der Sendung DRS 3, Samstag, 12. 10.

- Der Schüler Daniel Goeudevert wurde von den Kindern wegen seiner roten Haare
  ausgelacht. Aber Daniel war auch groß, stark und im Sport sehr gut: Mit 13 spielten
  Sie Basketball, mit 14 begannen Sie als Kugelstoßer. War der Sport eine Kompensation?

- Warum sind Sie nicht zu den Olympischen Spielen von Tokyo gefahren? (1964)

- Frauen sind in Ihrem Buch unheimlich wichtig als Sekretärinnen, als die Personen, die
  Ihr Leben organisieren. Hätte Ihre Karriere ohne Ihre Frau Liliane anders ausgesehen?

- Sie sind 1942 in Reims geboren, in der Stadt, in der übrigens 1945 die Gesamtkapitulation
  der deutschen Wehrmacht unterzeichnet wurde. Sie hatten schon früh eine Liebe zur
  deutschen Sprache und haben als Franzose in Deutschland Karriere gemacht. War der
  Konflikt zwischen Deutschland und Frankreich nie ein Thema für Sie?

- Verspürten Sie nie Hass gegen die Deutschen, wie viele Franzosen Ihrer Generation?

- Seit Ihrem Ausscheiden bei VW sind Sie Vizepräsident von *Green Cross International*,
  einer Organisation, die versucht, die Kräfte aller Umweltorganisationen zu bündeln.
  Was hat *Green Cross International* in den letzten 3 Jahren wirklich erreicht?

A12

Ein Gespräch führen

a) Lesen Sie
die Vorbereitung von
Ernst Buchmüller.
Welche Fragen
finden Sie
interessant?
Begründen Sie.
b) Hören Sie
den 3. Teil
des Interviews mit
Ernst Buchmüller.
Was ist für ihn ein
„gutes" Gespräch?
Über welche Punkte
wollte er mit seinem
Gast sprechen?

→Ü21

---

¹33

Für Liliane war es kaum möglich, mit meinem Aufstieg
Schritt zu halten. Voll ausgelastet mit der Aufgabe, nach jedem Umzug den Kindern immer wieder ein neues Heim zu
schaffen und für ihre Erziehung zu sorgen, fand sie keine
Muße, etwas für sich selbst zu tun, Sprachen zu lernen oder
sich weiterzubilden.
Meinen beruflichen Werdegang verfolgte sie mit Bewunderung, und so wurde ich zu Hause auf eine Art Podest gestellt.
Dieser Zuspruch schmeichelte zwar meinem Selbstbewusstsein und bedeutete vielleicht sogar einen zusätzlichen Ansporn für mich, (…)

Wenn man in Deutschland mit einem Produkt erfolgreich ist,
dann ist man überall in der Welt erfolgreich. Es ist eine besondere Eigenschaft des deutschen Produktes, sich überall in
der Welt vermarkten zu lassen. Das hängt zusammen mit der
deutschen Gründlichkeit, der Solidität und Qualität der Produkte sowie mit der Tatsache, dass der deutsche Kunde im
Gegensatz zu anderen ein informierter Kunde ist. (…)

A13

Texte vergleichen

a) Hören Sie zwei
Ausschnitte aus der
FOCUS-Sendung:
Welche Themen
werden diskutiert?
Was antwortet
der Gast?
Notieren Sie
Stichpunkte.
b) Was schreibt
Goeudevert
in seinem Buch
zu diesen Themen?
Lesen Sie
und diskutieren Sie
seine Aussagen.

→Ü22

Auftrag 9 Inszenieren Sie in kleinen Gruppen eine Talkshow oder eine Prüfung:
- Spielen Sie abwechselnd die Rollen (z. B. Gastgeber(in)/Gast bzw.
  Prüfer(in)/Prüfling) vor einem Beobachterteam (die anderen Leute aus dem Kurs).
- Sie können auch mit Mikrofon und Kassettenrecorder trainieren.
- Notieren Sie beim Beobachten Stärken und „typische" Fehler.
- Motivieren und helfen Sie sich gegenseitig mit Lob und Kritik.

→Dossier

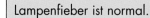

A14

„Lampenfieber" analysieren

a) Betrachten Sie die Bilder und sammeln Sie Unterschiede:

b) Imitieren Sie die Haltungen ① und ②: Was spüren Sie (Atem, Körper, Gedanken)?
c) Wann haben *Sie* Lampenfieber?

→Ü24

5 Aussprache: frei sprechen

①

②

A15

a) Hören und lesen Sie den Text mit. Woran erkennen Sie Lampenfieber?
b) Hören Sie eine Textvariante: Was ist anders?

→Ü25

„Wenn man in Deutschland mit einem Produkt erfolgreich ist, dann ist man überall in der Welt erfolgreich. Es ist eine besondere Eigenschaft des deutschen Produktes, sich überall in der Welt vermarkten zu lassen. Das hängt zusammen mit der deutschen Gründlichkeit, der Solidität und Qualität der Produkte sowie mit der Tatsache, dass der deutsche Kunde im Gegensatz zu anderen ein informierter Kunde ist."

A16

Richtig atmen

a) Lesen und ergänzen Sie die Profi-Tipps.
b) Betrachten Sie das Foto, hören Sie und atmen Sie.

→Ü26

Lampenfieber ist normal.
Profisprecher und -sprecherinnen kennen nützliche Tricks dagegen:
• Körper aufrecht halten, mit beiden Füßen den Boden spüren, Hände offen halten
• Gleichmäßig atmen; dabei spüren, wie die Gürtellinie sich dehnt
• Langsam sprechen, Pausen machen
• Blickkontakt mit dem Publikum halten, seine Reaktionen beobachten

A17

a) Hören und lesen Sie den Dialog mit. Was ist wichtig beim Sprechen für ein Publikum? Notieren Sie.
b) Spielen Sie das Gespräch.

→Ü27

Jan: Du bist Radio-Journalistin. Wie hast du gemerkt, dass das ein Beruf für dich ist?
Conny: Also, zuerst hab ich probiert, wie meine Stimme klingt. Dazu hab ich einen Zeitungstext genommen, einen Cassettenrecorder und ein Mikrofon. Dann hab ich mir vorgestellt, ich mach 'ne Sendung: hab den Text vorgelesen und aufgenommen. Danach hab ich mir angehört, wie meine Stimme klingt. Furchtbar! Ich hab auch gemerkt, dass ich nicht gut vorlesen kann. Und ich konnte nicht richtig atmen. Da hab ich den Text neu geschrieben, mit kürzeren Sätzen.

So wurde es besser. Ich musste aber noch eine ganze Menge lernen, bis ich wirklich fürs Hören denken und sprechen konnte.
Jan: Was heißt „Sprechen fürs Hören"?
Conny: Naja, du hörst ja nur *einmal*, was gesagt wird. Und man kann nur 5 bis 6 Wörter auf einmal verarbeiten. Also müssen die Sätze kurz sein, die Gedanken in kleinen Schritten entwickelt werden. Vor allem muss man Pausen machen und deutliche Akzente auf die zentralen Wörter setzen. Und man muss sich immer vorstellen, dass man wirklich zu den Leuten spricht.

6 Wortschatz

Ⓐ Im Radiostudio

- im Studio arbeiten
- ums Mikrophon sitzen und diskutieren
- ein Gespräch aufzeichnen
- im Studio aufnehmen
- eine Sendung produzieren
- direkt aus dem Studio senden

Ⓑ Das Radioprogramm

- eine Unterhaltungssendung / eine Informationssendung produzieren
- ein Hörspiel inszenieren
- die Nachrichten sprechen
- den Wetterbericht lesen
- ein Fußballspiel kommentieren
- eine Sportreportage live übertragen
- einen politischen Kommentar sprechen
- über die wirtschaftliche Lage informieren
- die Programmvorschau lesen
- Werbung senden

Ⓒ Radiomitarbeiter/-mitarbeiterinnen

- Informationen sammeln
- recherchieren / sich informieren
- ein Interview machen
- Aufnahmen machen
- durch die Sendung führen
- das Material / das Band schneiden
- der Redakteur / die Redakteurin
- der Sprecher / die Sprecherin
- der Reporter / die Reporterin
- der Journalist / die Journalistin
- der Moderator / die Moderatorin
- der Techniker / die Technikerin

Ⓓ Radiohörer/-hörerinnen

- auf den Knopf drücken / einschalten
- das Radio ist an
- vor dem Lautsprecher sitzen
- über eine Antenne empfangen
- der Empfang ist gut
- eine Sendung anhören
- die Sendung auf Cassette aufnehmen
- einen anderen Sender einstellen
- den Sender wechseln
- das Radio ausschalten
- das Gerät / die Sendung ist aus

A18

„Radio": Bilder und Wörter ordnen

a) Schauen Sie die Bilder an und lesen Sie die Wörter. Zu welchen Wörtern fehlt ein Bild?
b) Hören Sie und schauen Sie die Bilder an: Notieren Sie pro Foto sieben Wörter/Ausdrücke.

A19

Wörter gruppieren

a) Machen Sie verschiedene Wort-Igel, z.B.:

Radio hören

Sendungen produzieren

b) Hören Sie den Text von A18 noch einmal und ergänzen Sie Ihre Wort-Igel.
c) Beschreiben Sie die drei Bilder.
d) Wie sieht wohl das fehlende Bild aus?

→Ü23

A20

Einen Ablauf beschreiben

Sie möchten eine Radiosendung auf Cassette aufnehmen. Beschreiben Sie:

Ich setze mich vors Radio...

7 Grammatik

→Ü2 **Die elf häufigsten Satzbaupläne: Übersicht**

☞ 95% aller Hauptsätze in Texten haben einen dieser 11 Satzbaupläne.
Sie sind hier in der Reihenfolge ihrer Häufigkeit geordnet.
Tipp: Lernen Sie bei jedem Verb gleich den Satzbauplan als Beispielsatz mit!

Bauplan 1 | VERB : SUBJEKT + AKKUSATIVERGÄNZUNG

Goeudevert hatte viele unkonventionelle Ideen:
So **veranstaltete er** zum Beispiel **ein Kunstspektakel** mit dem Künstler HA Schult.

Bauplan 2 | VERB : SUBJEKT + NOMINATIVERGÄNZUNG

Mit 16 **war Goeudevert französischer Vizemeister** im Kugelstoßen.
Sein erster Beruf war Deutschlehrer.

Bauplan 3 | VERB : SUBJEKT + DIREKTIVERGÄNZUNG(EN)

Goeudevert kommt aus Frankreich.
„Warum sind **Sie** nicht **zu den Olympischen Spielen nach Tokio gefahren**?"

Bauplan 4 | VERB : SUBJEKT + (LOKALE) SITUATIVERGÄNZUNG

Daniel Goeudevert wurde **in Reims geboren.**

Bauplan 5 | VERB : SUBJEKT + QUALITATIVERGÄNZUNG

Der Schüler Daniel war groß und stark und im Sport **sehr gut.**

Bauplan 6 | VERB : SUBJEKT + PRÄPOSITIONALERGÄNZUNG

Zur Produktion einer Sendung gehört sehr viel Vorbereitungsarbeit.
„In der Sendung können **wir über das neue Buch sprechen.**"

Bauplan 7 | VERB : SUBJEKT + DATIVERGÄNZUNG + AKKUSATIVERGÄNZUNG

„Die Sendung gibt uns die Gelegenheit, über Ihr Buch zu sprechen."
Frau Goeudevert musste **den Kindern** immer wieder **ein neues Heim schaffen.**

Bauplan 8 | VERB : SUBJEKT + AKKUSATIVERGÄNZUNG + DIREKTIVERGÄNZUNG

Der Redakteur lädt einen interessanten Gesprächspartner in die Talk-Show ein.
Er muß unter anderem **Info-Texte an das Sekretariat schicken.**

Bauplan 9 | VERB : SUBJEKT + AKKUSATIVERGÄNZUNG + PRÄPOSITIONALERGÄNZUNG(EN)

Wir haben **Herrn Buchmüller bei seiner Arbeit beobachtet.**
Er möchte **von Herrn Goeudevert mehr über die Funktion der Wirtschaft erfahren.**

Bauplan 10 | VERB : SUBJEKT + DATIVERGÄNZUNG

Daniel Goeudevert gehört der Umweltorganisation „Green Cross" an.
„Die Bewunderung meiner Frau schmeichelte meinem Selbstbewusstsein."

Bauplan 11 | VERB : SUBJEKT

„Ich glaube: **Das geht**." – „Und **was ist**, wenn **es** nicht **klappt**?"

Verb und Ergänzungen (4)

→Ü14

Subjekt und Qualitativergänzung

Der Schüler Daniel	war	groß und stark.
Das Thema „Umweltschutz"	ist	sehr aktuell.

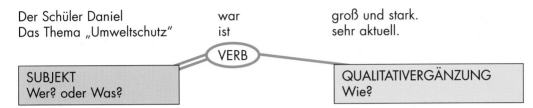

SUBJEKT
Wer? oder Was?

VERB

QUALITATIVERGÄNZUNG
Wie?

Subjekt und (temporale) Situativergänzung

Daniel Goeudevert	ist	im Jahr 1942	geboren.
Seine Karriere als Manager	begann	nach seiner Lehrertätigkeit.	

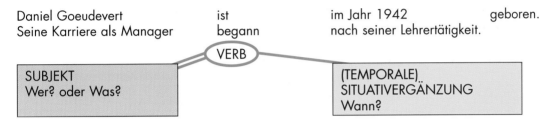

SUBJEKT
Wer? oder Was?

VERB

(TEMPORALE)
SITUATIVERGÄNZUNG
Wann?

Subjekt und Quantitativergänzung

Die Sendung	dauert		eine Stunde (lang).	
Daniel Goeudevert	hat	die Kugel	18 Meter (weit)	gestoßen.

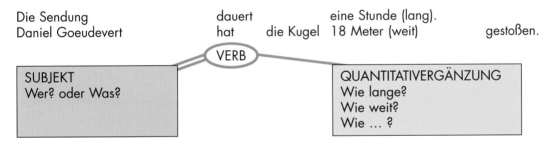

SUBJEKT
Wer? oder Was?

VERB

QUANTITATIVERGÄNZUNG
Wie lange?
Wie weit?
Wie … ?

Subjekt und Genitivergänzung (⚠ selten!)

Viele Abgeordnete	haben	sich	der Stimme	enthalten.
„Green Cross"	nimmt	sich	der Umweltprobleme	an.

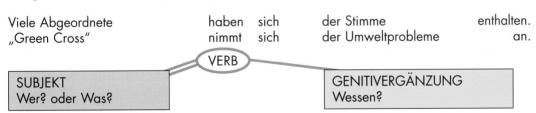

SUBJEKT
Wer? oder Was?

VERB

GENITIVERGÄNZUNG
Wessen?

Subjekt und Verbativergänzung (⚠ selten!)

Herr Goeudevert	ließ	seine Frau	den Alltag organisieren.
Deutsche Produkte	lassen	sich	gut vermarkten.

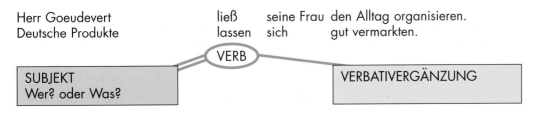

SUBJEKT
Wer? oder Was?

VERB

VERBATIVERGÄNZUNG

1 Der Zeitungsartikel ...

Auftrag 1

 A1

Informationen sammeln

a) Schauen Sie die Schlagzeilen und das Foto an: Worüber wird berichtet? Notieren und vergleichen Sie.
b) Suchen Sie im Text Informationen zu den Personen auf dem Foto.
c) Stellen Sie eine Person vor.

 A2

a) Was haben die Schlinkerts alles versucht, um eine Wohnung zu finden? Erzählen Sie.
b) Wie ist die Geschichte wohl weitergegangen? Diskutieren Sie.

→Ü1 – Ü3

A3

Möglichkeiten der Wohnungssuche vergleichen

Wie haben Sie Ihre Wohnung gefunden? Erzählen und vergleichen Sie.

Traumwohnung per Litfaßsäule gesucht

Von Sabine Brandes

Bielefeld. Monatelang studierte er unzählige Wohnungsanzei-
5 gen, fragte Bekannte und Verwandte, schrieb sich die Finger wund. Alles ohne Erfolg. Rüdiger Schlinkert hatte die Nase voll. Da kam ihm spontan der
10 Gedanke: „Warum suche ich die neue Wohnung nicht per Litfaßsäule?" Gesagt – getan. Die dreiköpfige Familie ließ sich extra für die Aktion malen, und
15 nun hängt ihr Bild an der roten Säule an der Elsa-Brandström-Straße.

Zur Zeit wohnt Schlinkert mit Lebensgefährtin und Tochter in
20 einem Wohnblock auf knapp 70 Quadratmetern. „Das ist einfach zu klein. Wir können nicht einmal Freunde einladen, um gemeinsam zu kochen", sagt
25 der 42-Jährige. „Außerdem lässt die Wohnqualität hier zu wünschen übrig. Kein Sonnenlicht, kein Grün und schon gar keine schöne Atmosphäre." Er
30 schmunzelt: „Wir sind freundliche Menschen und suchen eine freundliche Umgebung, in der wir uns wohl fühlen."

Rüdiger Schlinkert, seine Lebensgefährtin Jutta Brinkmann und Tochter Julia (links) suchen seit mehreren Monaten eine Wohnung. Da dies auf dem üblichen Weg nicht funktionierte, kam ihnen die Idee, eine Litfaßsäule zu mieten. (Foto: Rudolf)

Wir haben zahllose
35 Briefe geschrieben

Julia, Schlinkerts 17-jährige Tochter, besucht die elfte Klasse des evangelischen Gymnasiums in Werther. „Ich muss viel ler-
40 nen und mich bald auf das Abitur vorbereiten. Dafür brauche ich ein eigenes Zimmer, wo ich auch mal die Tür hinter mir zumachen kann", erzählt sie. Und
45 auch der Hausherr würde sich über ein bisschen Ruhe freuen. Denn neben seiner Tätigkeit als selbstständiger technischer Redakteur promoviert er gerade
50 an der Universität Bielefeld.

Ein Zuhause, nicht nur ein Bett

Nichts hätten sie unversucht gelassen, so die Lebensgefährtin
55 von Rüdiger Schlinkert, Jutta Brinkmann: „Wir haben zahllose Briefe geschrieben und sogar einen Ankreuzbogen mit frankiertem Rückumschlag beige-
60 legt. Trotzdem keine Antwort." Dabei haben beide ein gesichertes Einkommen und bezeichnen sich selbst als „ruhige Leute". Mit der Litfaßsäule möchte die
65 Familie vor allem aufgeschlossene Vermieter ansprechen, die über so eine Aktion lachen, sie aber auch ernst nehmen können. „Der Punkt ist: Wir suchen
70 ein Zuhause und nicht nur einfach ein Bett", betont Schlinkert. Eine helle 4- bis 5-Zimmer-Wohnung mit Küche und Bad wäre ihr Traum. „Wir su-
75 chen etwas fürs Leben."

... und ein Leserbrief

A4

Stellung nehmen

a) Fassen Sie
die Meinung der
Leserbrief-Autorin
zusammen.
b) Was ist
Ihre Meinung?
Diskutieren Sie.

Zu unserem Artikel „Traumwohnung per Litfaßsäule gesucht" schreibt eine Leserin:

Privilegierte Kleinstfamilien

Vielen Dank für Ihren Bericht über die notleidende Familie Schlinkert-Brinkmann. Zu dritt müssen sie sich auf 70 qm drängeln. Zustände sind das!

Soll das ein Witz sein? Ist Ihre Zeitung nun eine Art Zimmervermittlung für Besserverdienende? Nichts gegen die mehr oder weniger originelle Idee, eine Litfaßsäule zu mieten. Aber muss man einer schon privilegierten Kleinstfamilie auch noch die Möglichkeit geben, in einem großen Artikel mit Bild und Telefonnummern ihre überaus wichtigen Gründe für einen Wechsel in eine 4–5 ZKB vorzutragen? Falls dieser Artikel Erfolg haben sollte, möchte ich den neuen Vermieter dieser Familie nicht in der Zeitung lobend erwähnt sehen. Wirklich sehen möchte ich dagegen einen Vermieter, der 4–5 ZKB an eine Familie mit drei Kindern plus Omi vermietet, die nicht die Möglichkeit hatte, sich in aller Öffentlichkeit als „freundlich, ruhig und mit gesichertem Einkommen" darzustellen.

Cornelia Meyer
Paderborner Str. 71, 33659 Bielefeld

2 Ein Haus im Grünen

A5

**Fragen
formulieren**

a) Notieren Sie
Ihre Fragen an
Familie Brinkmann-
Schlinkert.
b) Lesen Sie
den Brief
und vergleichen Sie
mit Ihren Fragen.

→Ü4

A6

**Ein längeres
Gespräch
verstehen**

a) Wer spricht?
Was sind
die Themen?
Notieren Sie.
Vergleichen Sie.
b) Wählen Sie
ein Thema,
das Sie besonders
interessiert:
Machen Sie Notizen.
c) Berichten Sie mit
Hilfe Ihrer Notizen.

→Ü5 – Ü8

```
                                    Bielefeld, 5.6.

    Sehr geehrte Frau Brinkmann,
    sehr geehrter Herr Schlinkert,

    zunächst noch einmal herzlichen Dank dafür, dass
 5  Sie zu einem Gespräch über Ihre Wohnungssuche per
    Litfaßsäule bereit sind. Ich würde gerne bei Ihnen
    zu Hause mit Ihnen sprechen. Außerdem wäre es
    schön, wenn ich ein paar Fotos von Ihnen und Ihrem
    Haus machen könnte.

10  Ich möchte über folgende Fragen mit Ihnen sprechen:
    - Haben Sie Ihre Traumwohnung gefunden?
    - Wie sind Sie auf die Idee gekommen, per
      Litfaßsäule eine Wohnung zu suchen?
    - Wie ist das Plakat auf der Litfaßsäule
15    entstanden?
    - Wie haben Sie es erreicht, dass die Zeitung
      über Ihre Aktion berichtet hat?
    - Welche Angebote haben Sie bekommen?
    - Was war bei der Auswahl für Sie wichtig?
20  - Wie haben Sie Ihren Umzug organisiert?
    - Wie haben Sie sich in der neuen Umgebung
      eingelebt und wie ist Ihr Verhältnis zu
      Ihren jetzigen Nachbarn?

    Wegen des genauen Termins für das Gespräch,
25  auf das ich mich sehr freue, rufe ich Sie
    noch einmal an.

    Mit freundlichen Grüßen
    für das „Moment mal!"-Team
```

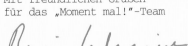

Auftrag 1	Rekonstruieren Sie die Wohnungssuche der Familie: Wie war die Situation am Anfang? Was hat die Familie gemacht? Was ist das Ergebnis? Machen Sie ein Ablauf-Schema.
Auftrag 2	- Planen Sie in der Gruppe eine ungewöhnliche Form der Wohnungssuche und präsentieren Sie Ihr Ergebnis in der Klasse. - Interviewen Sie eine andere Gruppe zu ihrem Ergebnis, machen Sie ein Radio-Feature daraus und spielen Sie es in der Klasse vor.

3 Wohnung/Zimmer gesucht

 A7

**Anzeigen
verstehen
und wiedergeben**

Wählen Sie
zwei Anzeigen
und berichten Sie
über die Angebote.

→Ü9 – Ü12

 A8

**Auf Anzeigen
reagieren**

a) Auf welche
Anzeige reagiert
Herr Hein ①?
Hören Sie
und suchen Sie.
b) Notieren Sie
Informationen
über das Zimmer.
Vergleichen Sie.

→Ü13 – Ü14

 A9

a) Auf welche
Anzeige antwortet
Herr Mast ②?
b) Wie ist sein Brief
aufgebaut?
Was fehlt?

①

Neue Westfälische
BIELEFELDER TAGEBLATT
unabhängig · überparteilich

E DETAILS ●●●
ittene 3 ZKBB im
u Nähe Radrenn-
hw. Ausstg. Erstbe-
M zzgl. Nebenk.
NN IMMOBILIEN
724 Fax 429781

m², KM 700,- DM
später zu verm.

e Ausstg., 3 ZKBB,
0 DM, sof. bezieh-
0675.

B, 50 m², 534 DM
in Schloß Holte

nnestadt, z. 1.4. o.
0521/123308.

.OG, Bad Salzufl.
80+NK. XA 65494

: 3 ZKBB, Keller,
Garage, ca. 85 m², in ruhiger Lage
zum 1.2.98, 800 DM zu verm.
☎ 05241/79264.

Wohng./Zimmer

App., ca. 38 m², Einbauküche, Balk.,
zu verm., Nähe Apfelstr., KM 550 DM
+ NK, 2 MM Kaution. AP 74730

DG-App. m. kl. Balk., zw. Uni u.
Bahnhofstr., ca. 50 m², 690 DM KM +
150 DM NK. 0172/9015666

1 ZKB möbl., BI-City, Nähe St. Franz.
Hosp. z. 1.7., KM 395 DM. XA 74361

Gemütl. Sout.-Whg. 50 m² möbl.,
Sennestadt, Warmmiete 600 DM z. 1.7.
zu verm. AR 74385

**1 Zi.-App. m. Bad u. Kochgel. in
Spenge.** ☎ (05225) 7793

1-Raum-Dach-App., frei, ca. 30 m²,
gut möbl. EBK m. Geschirrsp., Du./WC,
BI-Brackwede, 570 DM + NK, 1500 DM
Kaution. ☎ 213917

2 Zi. m. Du. u. WC, o. Küche z.
1.7. an Wochenendheimfahrer zu verm.
(Oerlinghausen) ☎ (05202) 8064

Vermietungen

Wohnungen

DG-Whg. 3 ZKB, Log., 89 m² GF, Uni-
nähe, S.Bahnanschl. (L. 3), 1150,– KM
+ NK z. 1.9./1.10., XY 73400

3 ZKB, 82m², Weststr., Part., ruh., KM
890 + Kaut. per 1.8., XA 73246

1 ZKB, 47 m², ruh., DG, westl. Stadtm.
KM 564 + Kaut. an Dame XY 73444

Schildesche DG 2 ZKB, teilmöbl. 50
m², z. 1.10. zu verm. AP 74311

EG-Whg., Bi-Mitte, z. 1.8. zu verm.,
80 m², 720,– KM + NK. XA 74388

3 ZKBT/im MFH 70 m² in Sennestadt,
suchen Nachmieter zum 1.9. od. später, KM 750 DM + NK, Küchen-ÜB
VHS. AR 74483

4 ZKBB, ca. 98 m², 3. Obergeschoss, mit Fahrstuhl, Bielefeld
West, neu renoviert, Grundmiete
1029 DM, NKVZ 390, TG-Platz
80 DM, 3 MM Kaution, an Dau-
ermieter mit gesichertem Einkommen. Zuschr. u. AP 74791.

4 ZKBB, Bi-Süd, 86 m², Bj. 95, KM
972,–, zum 1.8., Einbauküche muss
übernommen werden. AP 73854

Nachmieter ab 1.7., 3 ZKB WC,
75 m² 650,– KM + 100,– NK Tel. 337467
Sa. 8–10 Uhr

TIMS Leihwagen (05 21) 74158

Topp-Transporte Bielefeld
Umzugsfachspedition nah und fern
(05 21) 1704712 Fax: 1704713

---

② Herbert Mast
Bergstraße 4
33605 Bielefeld

Wohnungsanzeige Chiffre Nr. AP 73854 vom 14. 6.

Sehr geehrte Damen und Herren,

wir interessieren uns für die von Ihnen angebotene
Wohnung.
Meine Lebensgefährtin, Manuela Lindemann (22),
ist Erzieherin und arbeitet in einem Kindergarten in
Sennestadt.
Ich bin 27 Jahre alt, Kaufmann und habe eine
Versicherungsagentur im Raum Brackwede,
Sennestadt und Senne.
Wir haben keine Kinder, suchen aber eine größere
Wohnung, weil ich ein Arbeitszimmer brauche. Ich bitte
Sie um weitere Informationen zu der angebotenen
Wohnung. Bitte schicken Sie die Unterlagen an die
Adresse oben oder rufen Sie uns einfach an. Über einen
Besichtigungstermin würden wir uns sehr freuen.

Mit freundlichen Grüßen

Auftrag 3 – Suchen Sie mit Ihrem Partner oder Ihrer Partnerin ein Zimmer oder eine
Wohnung: Einigen Sie sich über Größe, Lage und Preis.
– Reagieren Sie dann auf eine der Anzeigen: Rufen Sie an oder schreiben Sie
einen Brief.

Auftrag 4 Sie haben nichts Passendes gefunden: Formulieren Sie eine Suchanzeige.

4 Mietvertrag, Hausordnung, Nachbarn

①

②

A10

Gespräche bei einer Wohnungs-besichtigung

a) Welches Gespräch passt zu Foto ① bzw. ②?
b) Notieren Sie:

Personen: _____
Fragen der Interessenten: _____
Vorteile: _____
Nachteile: _____

c) Vergleichen Sie.

→Ü15 – Ü17

Mietvertrag

§ 2 Mietzeit
Das Mietverhältnis beginnt am _____.
Nur für Verträge von unbestimmter Dauer: Der Mietvertrag läuft auf unbestimmte Zeit und kann bei Mietverhält-
5 nissen über Wohnraum mit gesetzlicher Frist (1) gekündigt werden.
  (1) Die gesetzliche Kündigungsfrist beträgt gemäß § 565 BGB bei einem Mietverhältnis über Wohnraum 3 Monate und verlängert sich nach
  5, 8 bzw. 10 Jahren seit der Überlassung des Wohnraums um jeweils 3 Monate.

§ 3 Kündigung
Die Kündigung muss schriftlich erklärt werden und bis zum 3. Werktag des ersten Monats der Kündigungsfrist
10 zugestellt sein.

§ 4 Miete und Betriebskosten
Die Zahlung beträgt monatlich für:
a) Grundmiete _____ DM
b) Miete für Garage, Garten usw. _____ DM
15 c) Vorauszahlung auf Heizkosten _____ DM
d) Vorauszahlung auf Betriebskosten ohne Heizkosten _____ DM

§ 5 Fälligkeit der Zahlungen
Die Miete und die Vorauszahlungen auf die Betriebskosten sind spätestens bis zum 3. Werktag eines jeden Monats
(…) im Voraus zu zahlen.

20 **§ 26 Hausordnung**
Die ( ) Hausordnung ist Bestandteil dieses Vertrags.

A11

Mietverträge verstehen und wiedergeben

Erklären Sie Ihrem Partner / Ihrer Partnerin zwei Paragrafen (§).

→Ü18

Betrifft: Nichteinhaltung der Hausordnung und Störung der
nächtlichen Ruhe durch Franz Hueber

Sehr geehrter Herr Fingerl!

In der Nacht vom 28.4.–29.4. von 23.30–0.30 Uhr sehr laut!
5 Am 5.7. am Balkon von 10–14 Uhr Wäsche getrocknet.
Am 6.7. Bettvorleger und Bettwäsche aus dem Schlafzimmerfenster gehängt.
Am 11.7. um 22.10 Uhr heimgekommen – musste wegen vergessenem Schlüssel
schreien, anstatt zu läuten!
Frau Hueber lässt ständig die Müllkübel vor der Haustüre stehen.

Hochachtungsvoll
Paul Vurie

A12

Konflikte verstehen

a) Worüber beschwert sich der Briefschreiber?
b) Erzählen Sie von eigenen Erfahrungen.

→Ü19

Auftrag 5 Spielen Sie eine ähnliche Wohnungsbesichtigung anhand einer Anzeige aus Abschnitt 3.

Auftrag 6 Wohnungssuche in Deutschland – Wohnungssuche in Ihrem Land, ein Vergleich: Halten Sie einen kurzen Vortrag mit Notizen.

→Dossier

5 Wohn-Träume

A13

Literarische Texte verstehen

a) Sammeln Sie Informationen zu den fünf Zimmern oder machen Sie eine Zeichnung.
b) Welches Zimmer gefällt Ihnen (nicht)?
c) Analysieren Sie die Textzeilen 9–16: Was ist anders als in „normalen" Texten?

→Ü22 – Ü23

Holztäfer (CH): Wandverkleidung aus Holz

Ein Haus

Manchmal denke ich mir ein Haus, in dem ich leben möchte: nicht allein, sondern mit einer Gruppe junger Leute. Das Haus läge am See,
5 und es hätte fünf Zimmer. Es wäre ein altes Haus, aber die Zimmer wären sonnig, man müsste vielleicht Geranien wegnehmen.
Das „weiße Zimmer" wäre das Diskussionszimmer. An den Wänden Plakate und Zei-
10 tungsausschnitte zu gerade aktuellen Themen. Matratzen und Kissen am Boden.
Dann das „rote Zimmer". In der Ecke ein hohes, altes Kirschbaumbett, die Matratze mit rotem Stoff überzogen. Lange, rote Kerzen in
15 alten Einmachgläsern, rote Fensterrahmen, ein großer Spiegel.
Das „blaue Zimmer" mit taubenblau gestrichenen Wänden und weißen Fensterrahmen wäre der kreativen Muße gewidmet. Eine
20 Hängematte aus Hanf für den Denker und Träumespinner. Für den Dichter der alte Sekretär mit den Schublädchen für Zettel und Bleistifte. Für den Maler und Hersteller eine ganze Wand, überzogen mit Gestellen, das
25 drittunterste Brett so breit, dass man es als

meterlangen Tisch gebrauchen könnte. In diesem Zimmer würden die Ausstellungen stattfinden. Ausstellungen von Bildern, schönen Steinen, Skizzen, Gefäßen, Postkarten, Gläsern, Spielsachen, Herbstblättern. 30
Das „Sommerzimmer" würde auf den See hinausgehen, die Wände maisgelb und braun gestrichen. Erd- und Feuertöne. Ein großer Tisch mit Eckbank zum Essen, ein Ofen, eine tiefhängende Lampe. Ein altes Sofa mit nied- 35
rigem Tisch für die Teezeremonie. Wenige Bilder.
Das fünfte Zimmer wäre das „Zimmer der Geheimnisse". Die Wände dunkles Holztäfer, an der Gipsdecke eine südliche Landschaft in Ter- 40
rakottafarben, ein unregelmäßiger Grundriss, Nischen. Auf den Betten würden hier am Tag und in der Nacht Geheimnisse ausgetauscht. Die Luft wäre hier so kühl, dass man die Wärme der Umarmung suchte. 45
Ein großes, ein freundliches Haus, keiner würde den anderen verdrängen.

Claudia Storz

A14

a) Vergleichen Sie den Text mit der Kinderzeichnung.

Friedrichstraße: Straße im Zentrum Berlins

Zugspitze: höchster Berg (2963 m) in Deutschland

b) Hören Sie den Text als Rezitation.
c) Rezitieren Sie selbst.

Das Ideal

Von Kurt Tucholsky

Ja, das möchste:

Eine Villa im Grünen mit großer Terrasse,
5 vorn die Ostsee, hinten die Friedrichstraße;
mit schöner Aussicht, ländlich-mondän,
vom Badezimmer ist die Zugspitze zu sehn –
aber abends zum Kino hast du's nicht weit.

Das Ganze schlicht, voller Bescheidenheit:
10 Neun Zimmer, – nein, doch lieber zehn!
(…)

Auftrag 7 – Planen Sie Ihr Traum-Haus oder Ihr Traum-Zimmer und richten Sie es ein: Zeichnen Sie eine Skizze und schreiben Sie die Einrichtungsgegenstände hinein.
– Stellen Sie Ihr Traum-Haus/Zimmer in der Klasse vor.
– Welches Traum-Haus/Zimmer und welche Präsentation haben Ihnen am besten gefallen? Diskutieren Sie in der Klasse und stimmen Sie ab.

6 Wohnen – weltweit

UN-Städtegipfel vom 3. bis 14. Juni in der Türkei

Habitat: Angemessene Wohnung für alle

Von Jürgen Hein

Hamburg (dpa). „Eine angemessene Wohnung ist mehr als ein Dach über dem Kopf", heißt es im Entwurf der Schlusserklärung, die auf der UN-Konferenz Habitat II in Istanbul beraten wird. Eine angemessene Wohnung müsse Wasser- und Stromanschluss haben; Schulen, medizinische Versorgung und Arbeitsplätze müssen in der Nähe liegen; die Luft soll sauber und das Viertel sicher sein.

Für 1,4 Milliarden Menschen sind diese Bedingungen nicht einmal annähernd erfüllt, schätzen die Vereinten Nationen, selbst wenn nur die Lebensverhältnisse in den armen Ländern als Vergleichsbasis dienen. 900 Millionen Menschen leben in Städten unter unzumutbaren oder lebensgefährlichen Bedingungen, ihre Zahl steigt. Wie dieser Trend gestoppt und möglicherweise umgekehrt werden kann, darum geht es bei Habitat II, der letzten großen UN-Konferenz in diesem Jahrhundert.

Die Erwartungen an den Städtegipfel vom 3. bis zum 14. Juni in der Türkei sind hoch. Mehr als 20000 Teilnehmer und Beobachter aus 184 Ländern werden erwartet. Politiker, Bürgermeister, Vertreter der Bauindustrie und Mitglieder regierungsunabhängiger Organisationen (NGO) befassen sich vor allem mit der Entwicklung der Städte. Ein Aktionsplan soll dafür sorgen, dass sie menschenwürdig und umweltgerecht werden.

Schon heute lebt die Hälfte der Menschheit in Städten, im Jahr 2025 könnten es zwei Drittel sein; und weil die Weltbevölkerung wächst, verdoppelt sich die Zahl der Stadtbewohner auf fünf Milliarden.

100 Megastädte mit mehr als fünf Millionen Einwohnern wird es dann schätzungsweise geben, in einigen von ihnen – wie Bombay, Schanghai oder Tokio – werden jeweils bis zu 30 Millionen Menschen leben. Damit drohen die Probleme weiter zu wachsen: Extrem verschmutzte Luft, unzumutbare Hüttenviertel als einzige Zuflucht für die Armen, katastrophale Trinkwasserknappheit auch in Industriestaaten.

Leben in der Stadt
wie die städtische Bevölkerung wohnt*

	verfügbare Wohnfläche pro Person	Personen pro Raum	Wohnungen mit Wasseranschluss
arme Länder	6,1 m²	2,47	56%
Schwellenländer	15,1 m²	1,69	94%
reiche Industrieländer	35,0 m²	0,66	100%

*Erhebung in 52 Städten der Welt
INDEX FUNK 3810   Quelle UNFPA

A15

Zeitungsberichte verstehen und auswerten

Lesen Sie die Schlagzeilen und den ersten Abschnitt. Erklären Sie: Was ist „Habitat II"? Was sind die Ziele?

A16

a) Lesen Sie den Text ganz und sammeln Sie Informationen:

Teilnehmer:
Ziele:
Forderungen:
Probleme heute:
Prognosen für 2025:

b) Vergleichen Sie Ihre Notizen.
c) Diskutieren Sie mögliche Lösungen.

➔Ü24 – Ü25

A17

Eine Grafik verstehen und wiedergeben

Stellen Sie Fragen und antworten Sie.

➔Ü26

Auftrag 8 Suchen Sie Informationen (Texte, Statistiken) über die Wohnverhältnisse in Ihrem Land; berichten Sie in der Klasse und vergleichen Sie.

A18

„Wohnen":
Wortfelder erstellen

a) Ordnen Sie
Wörter aus
„Wohnen von A–Z"
den sechs
Oberbegriffen zu.
Machen Sie
Wort-Igel.

b) Hören Sie
sechs kurze Dialoge
und vergleichen Sie
mit Ihren Wort-Igeln.
c) Ergänzen Sie
weitere Wörter
und Ausdrücke.

7 Wortschatz

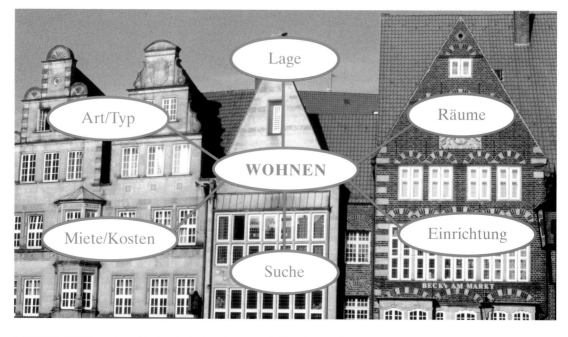

Lage

Art/Typ

Räume

WOHNEN

Miete/Kosten

Einrichtung

Suche

Wohnen von A–Z

A: die Adresse – alt – die Altbauwohnung – die Altstadt – das Angebot – die Anzeige – das Appartement – das Arbeitszimmer – der Aufzug – die Aussicht – ausziehen

B: das Bad – die Badewanne – der Balkon – die Bank – bequem – besichtigen – das Bett – bezahlen – das Bild – der Boden – das Bücherregal – bunt – das Büro

C: die City – die Couch

D: das Dach(geschoss) – die Decke – draußen – drehen – drinnen – drücken – die Dusche

E: die Ecke – die Eigentumswohnung – die Einbauküche – die Einfahrt – der Eingang – einfach – das Einfamilienhaus – einrichten – einziehen – Elektro- – das Erdgeschoss – das Esszimmer

F: farbig – das Fenster – der Flur – der Fußboden

G: die Garage – der Garten – das Gas – das Gebäude – gemütlich – das Gerät – groß

H: hängen – das Haus – der Hausmeister / die Hausmeisterin – die Haustür – die Heizung – heizen – hoch – der Hof

I: sich interessieren für

K: kalt – die Kaution – der Keller – das Kinderzimmer – klein – klingeln – die Küche – der Kühlschrank – die Kündigung(sfrist)

L: die Lampe – das Land – laut – das Licht

M: der Makler – die Mauer – das Mehrfamilienhaus – mieten – der Mieter / die Mieterin – das Mieterschutzgesetz – der Mietvertrag – die Mietwohnung – die Möbel – möbliert – modern

N: der Nachbar – die Nebenkosten – neu – der Neubau – die Neubauwohnung – niedrig

O: der Ofen

P: das Parterre – der Platz

Q: der Quadratmeter (m^2)

R: das Regal – ruhig

S: der Schalter – das Schlafzimmer – das Schloss – der Schlüssel – schön – der Schrank – der Schreibtisch – der Sessel – der Spiegel – die Stadt – der Stadtrand – der Stecker – die Steckdose – der Stock – das Stockwerk – der Strom – die Stufe – der Stuhl

T: das Telefon – der Teppich(boden) – die Terrasse – der Tisch – die Toilette – die Treppe – die Tür

U: die Umgebung – umziehen

V: der Verkehr – das Verkehrsmittel – die (Verkehrs-)Verbindung – vermieten – der Vermieter / die Vermieterin – die Vermittlung – der Vorhang

W: die Wand – warm – die Waschmaschine – das Wasser – das WC – der Wohnblock – wohnen – der Wohnort – die Wohnung – das Wohnzimmer

Z: zentral – das Zentrum – das Zimmer – die 1/2/3/4-Zimmerwohnung – das Zweifamilienhaus

A19

Wie sieht
Ihr Zimmer / Ihre
Wohnung aus?
Wo liegt es/sie?
Erzählen Sie.

→Ü27 – Ü29

8 Grammatik

Angaben-Gruppen

Ihre Wohnung war zu klein.

Sie haben deshalb   voriges Jahr   per Litfaßsäule   in Bielefeld eine neue Wohnung gesucht.

	KAUSAL-ANGABE	TEMPORAL-ANGABE	MODAL-ANGABE	LOKAL-ANGABE	

a) Kausalangaben

● Warum / Weshalb / Weswegen   haben sie eine neue Wohnung gesucht?
○ **Weil** ihre alte (Wohnung) zu klein war,   haben sie eine neue gesucht.
   Darum / Deshalb / Deswegen   haben sie eine neue gesucht.
   Sie haben eine neue Wohnung gesucht, **denn** die alte war zu klein.

URSACHE/GRUND

b) Temporalangaben

● Wann habt ihr eine neue Wohnung gesucht?
○ Voriges Jahr. / Vorigen Monat. / Vorige Woche.
   Vor einem Jahr / einem Monat / einer Woche.
   Gestern. / Vorgestern. / **Vor** ein paar Tagen.
   1996. / **Im** Mai. / **Am** 30.5.1996.
   Nachdem uns die alte zu klein geworden war.
   Als auch unsere Tochter ein eigenes Zimmer brauchte.

● Wann zieht ihr (voraussichtlich) um?
○ Nächstes Jahr. / Nächsten Monat. / Nächste Woche.
   In einem Jahr / einem Monat / einer Woche.
   Morgen. / Übermorgen. / **In** ein paar Tagen.
   1997. / **Im** Oktober. / **Am** 1.10.1997.
   Dieses Jahr. / Diesen Monat. / Diese Woche.
   In diesem Jahr / diesem Monat / dieser Woche.
   Heute (noch). / Jetzt (gleich). / Sofort.
   Wenn die neue Wohnung renoviert ist.   **Sobald** wir die neue Wohnung renoviert haben.
   (Noch) **bevor** das neue Schuljahr anfängt.

ZEITPUNKT

● **Seit** wann wohnen Sie hier?
○ **Seit** vorigem Jahr / vorigem Monat / voriger Woche.
   Seit diesem Jahr / diesem Monat / dieser Woche.
   Seit gestern / vorgestern / ein paar Tagen.
   Seit(dem) das neue Schuljahr angefangen hat.

ANFANG (EINES ZEITRAUMS)

● **Bis** wann haben Sie in Ihrer alten Wohnung gewohnt?
○ **Bis** letztes Jahr / letzten Monat / letzte Woche.
  Bis vor einem Jahr / einem Monat / einer Woche.
  Bis gestern / **vor** ein paar Tagen.
  (Solange) bis wir mit der Renovierung der neuen Wohnung fertig waren.

ENDE (EINES ZEITRAUMS)

● **Von** wann **bis** wann haben Sie die Schule besucht?
○ **Von** 1988 **bis** 1997.   **Von** August 1988 **bis** Juli 1997.
  Vom 1.8.1988 **bis (zum)** 15.7.1997.

● **Von** wann **bis** wann dauerte der Unterricht?
○ **Von** acht **bis** eins.   **Von** 7 Uhr 30 **bis** 12 Uhr 45.

■ **Wann** ist das passiert?
○ **Während** der/den Ferien / unseres Urlaubs / unserem Urlaub.
  Während wir Ferien hatten / im Urlaub waren.

ZEITRAUM

● **Wie lange** haben Sie gesucht?
○ (Fast) ein (ganzes) Jahr lang.   (Etwa) einen Monat lang.   (Nur) eine Woche lang.
  (Noch nicht mal) einen Tag lang.
  Solange wir noch nichts Passendes gefunden hatten.

ZEITDAUER

c) Modalangaben

● Wie / **Auf** welche Weise haben Sie Ihre neue Wohnung gefunden?
○ Ganz schnell.   **Ohne** Probleme.   **Per** Litfaßsäule.   **Durch** eine Anzeige.

ART UND WEISE – MITTEL/INSTRUMENT

d) Lokalangaben

● Wo haben Sie vorher gewohnt?
○ **In** Bielefeld.   **In** der Innenstadt.   **In** einem Wohnblock.   **Über** einer Garage.

● Wo wohnen Sie jetzt?
○ **In** Werther.   **Am** Stadtrand.   **In** einem Reihenhaus.   **Unter** Bäumen.

ORT

● Wohin sind Sie gezogen?
○ **Nach** Werther.   **An** den Stadtrand.   **In** ein Reihenhaus.

● Woher sind Sie gekommen?
○ **Aus** Bielefeld.   **Aus** der Innenstadt.   **Aus** einem Wohnblock.

RICHTUNG

Ergänzungen im Mittelfeld

→Ü20

Vorfeld	VERB	Mittelfeld				VERB (-TEIL)
Wir	interessieren			uns	für die Wohnung.	
Deshalb	möchten	wir		Sie	um weitere Informationen	bitten.
	Schicken	Sie	uns	die Unterlagen	an die Adresse oben	
(oder)	rufen	Sie	uns			an.
Dafür	wären	wir	Ihnen		dankbar.	

		Alle übrigen Ergänzungen:
◄ SUBJEKT		PRÄP-ERGÄNZUNG ►
DAT-ERGÄNZUNG ►		DIR-ERGÄNZUNG ►
		QUALIT-ERGÄNZUNG ►
AKK-ERGÄNZUNG ►		

links ERG   ERG **rechts**

Ergänzungen und Angaben im Mittelfeld

→Ü21

Vorfeld	VERB	Mittelfeld				VERB (-TEIL)
Man	kann	den Vertrag	mit gesetzlicher Frist **WIE?**			kündigen.
Die Kündigungsfrist	verlängert	sich	nach 5 Jahren **WANN?**		um 3 Monate.	
Der Mieter	muss	die Wohnung	bei seinem Auszug **WANN?**	besenrein **WIE?**		zurückgeben.
Man	darf	die Teppiche	nur auf dem Hof **WO?**			ausklopfen.
Man	darf	sie	deshalb **WARUM?**	auch nicht	aus dem Fenster	hängen.

links ERG   ANGABE   ANGABE   ERG **rechts**

☞ **Reihenfolge der Angaben im Mittelfeld:**
Kausalangaben – **Te**mporalangaben – **Mo**dalangaben – **Lo**kalangaben: **Ka-Te-Mo-Lo**
oder
Temporalangaben – **Ka**usalangaben – **Mo**dalangaben – **Lo**kalangaben: **Te-Ka-Mo-Lo**

Von der Idee zum Produkt

 A1

Hypothesen bilden

a) Betrachten Sie das Foto: Was vermuten Sie?

• Ort/Umgebung
• Mitarbeiter
• Produkte

b) Was gehört für Sie noch zu einer Firma?

→Ü1

 A2

Gespräche im Betrieb spielen

Schreiben Sie Begrüßungsdialoge, die in einen Betrieb passen, und spielen Sie.

Am Morgen /
In der Kantine /...
• Chef(in)
• Mitarbeiter
• Kollegen

→Ü2 – Ü4

 A3

Ein Referat verstehen

a) Lesen Sie die Texte ① und ②; machen Sie Notizen.
b) Hören Sie und ergänzen Sie Ihre Notizen.
c) Lesen Sie Text ③: Vergleichen Sie Punkt 2, 3 und 7 mit der Präsentation von Frau Rösch.

(76)

→Ü5 – Ü7

→Dossier

1 Eine Firma

Das *Moment mal!*-Team hat die Firma Vitopharm AG in Frankfurt am Main besucht. Bei unserer Ankunft wurden wir von der Empfangsdame und Telefonistin begrüßt. Dann wurden wir in einen Sitzungsraum geführt. Dort erwartete uns eine Dame:

● Mein Name ist Rösch. Herzlich willkommen! Ich bin Assistentin für Öffentlichkeitsarbeit.
○ Schneider. Freut mich, Sie kennen zu lernen!
■ Becker ist mein Name!
● Freut mich, Frau Becker. Sind Sie gut gereist?
■ Ja, doch. Eine weite Reise, aber das Wetter bei Ihnen ist ja so schön.
● Nun, darf ich Ihnen kurz unsere Firma vorstellen, bevor wir einen Rundgang machen?

①
Zweck und Ziel des Unternehmens
• Wir entwickeln, produzieren und vertreiben ausgewählte pharmazeutische und kosmetische Präparate sowie ausgewogene Nahrungsergänzungsmittel.
• Sie sollen die Lebensqualität erhöhen und das körperliche und seelische Gleichgewicht fördern.

②
Unsere wichtigsten Daten
• Vitopharm AG wurde 1955 in Hagen gegründet.
• Seit 1959 ist der Geschäftssitz in Frankfurt.
• Vitopharm ist seit 1988 eine eigenständige Gesellschaft der Gruppe Kerntaun-Pharma.
• Vitopharm besitzt zwei Tochterunternehmen: ViPharm in Frankfurt und ViKern Inc (USA) in Buffalo/NY.
• Vitopharm beschäftigt am Hauptsitz in Frankfurt rund 230 Mitarbeiter.
• Vitopharm ist seit vielen Jahren im Bereich von pharmazeutischen und kosmetischen Präparaten international tätig und hat ein breit gefächertes Know-how in der Erforschung und Entwicklung solcher Produkte.
• Vitopharm-Produkte sind heute weltweit in über 40 Ländern auf dem Markt.

```
Tipps für Präsentationen  ③

⇨ Vorbereitung:
1. Raum? Publikum?
2. Schlüsselbotschaft:
   Was will ich?
3. Struktur
4. Material zum Zeigen

⇨ Präsentation:
5. Körperhaltung, Bewegungen
6. Blickkontakt
7. Sprechgeschwindigkeit,
   Stimme
```

(Tipps von Frau Rösch)

④ „Vitopharm ermöglicht mir, mit Menschen aus aller Welt in Kontakt zu kommen. Als Telefonistin habe ich täglich Gelegenheit, meine Sprachkenntnisse anzuwenden und zu verbessern. Besonders freut es mich, wenn ich manchmal ausländische Kunden und Partner, deren Stimme ich nur vom Telefon her kannte, persönlich kennen lerne."

⑤ „Ich habe Chemie studiert und arbeite nun seit drei Jahren hier in der Forschung und Entwicklung. Im Moment bin ich mit der Entwicklung eines neuen Präparats beschäftigt. Es dauert in der Regel einige Jahre, bis wir im Labor alle notwendigen Untersuchungen abgeschlossen haben. Die Arbeit hier ist sehr abwechslungsreich: Fachliteratur lesen, Analysen durchführen, Recherchen machen, Zahlenmaterial und wissenschaftliche Aufsätze auswerten, ..."

Frau Rösch zeigte dem *Moment mal!*-Team anschließend den Betrieb. Bei unserem Rundgang trafen wir auf dem Flur des Verwaltungsgebäudes Sachbearbeiterinnen mit Akten unter dem Arm sowie drei Herren mit Aktenkoffern, die gerade aus einem Büro kamen und sich verabschiedeten. In den Labors saßen Chemiker und Chemikerinnen vor komplizierten Apparaten.
Dann kamen wir in die Produktion. Dort bedienten vor allem Frauen verschiedene Maschinen. Hier wurden die Kapseln und Tabletten in Flaschen abgefüllt. Arbeiter in blauen Kitteln fuhren die fertige Ware in die Regale im Lager.

⑥ „Ich wohne hier in der Nähe von Frankfurt und habe zwei Kinder. Deshalb habe ich lange eine Halbtagsstelle gesucht. Vor sechs Monaten habe ich dann diese Stelle in der Produktion gefunden. Meine Arbeit verlangt viel Konzentration und Aufmerksamkeit: Ich prüfe zum Beispiel, ob die Kapseln und Tabletten alle in Ordnung sind, bevor sie abgepackt werden, ins Lager kommen und von dort aus in die ganze Welt verschickt werden."

A4

Einen Arbeitsplatz beschreiben

a) Notieren Sie je eine wichtige Aussage der drei Mitarbeiter(innen).
b) Beschreiben Sie *Ihren* Arbeitsplatz oder einen anderen Arbeitsplatz bei Vitopharm.
c) Vergleichen Sie mit Ihren Hypothesen aus A1.

→Ü9

→Dossier

⑦

Produkt-Rangliste
(Gesamtumsatz auf dem Weltmarkt)

1. Vitaseral	45%
2. Ginkgoran	30%
3. Selepharm	10%
4. Heparel	9%
5. D5 Vitopharm	6%

⑧

Verkaufsumsatz in Europa
(in Prozent)

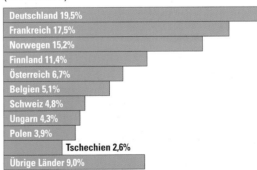

Deutschland	19,5%
Frankreich	17,5%
Norwegen	15,2%
Finnland	11,4%
Österreich	6,7%
Belgien	5,1%
Schweiz	4,8%
Ungarn	4,3%
Polen	3,9%
Tschechien	2,6%
Übrige Länder	9,0%

(Aus einer Informationsbroschüre von Vitopharm)

A5

Statistiken beschreiben

a) Sammeln Sie wichtige Ausdrücke, um über Statistiken zu sprechen.
b) Beschreiben Sie die wichtigsten Informationen aus Text ⑦ oder ⑧.

→Ü10 – Ü11

→Dossier

→Dossier

Auftrag 1 Machen Sie eine Kurzpräsentation einer Firma oder einer Institution:
– Stellen Sie die wichtigsten Informationen darüber zusammen.
– Diskutieren und ergänzen Sie die Tipps aus Text ③ und bereiten Sie sich vor.
– Präsentieren Sie die Firma oder Institution zu zweit oder allein.
– Diskutieren Sie anschließend die Form und Wirkung der Präsentation:
 Was war gut? Was kann man besser machen?

2 Die Idee

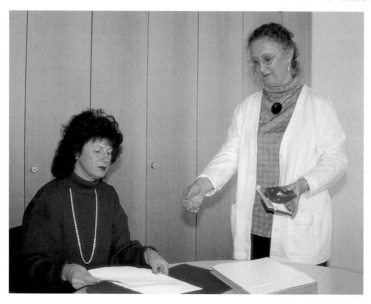

A6

Über Arbeitsstil und Arbeitsklima sprechen

Vergleichen Sie die Äußerungen von Frau Franke und Frau Pfeifer mit *Ihren* beruflichen Erfahrungen und Wünschen.

→Ü12

Frau Rösch führte das *Moment mal!*-Team auch zu Frau Pfeifer und Frau Franke, die für die Entwicklung neuer Produkte im Bereich Marketing verantwortlich sind. Bei unserem Besuch waren sie gerade damit beschäftigt, die Markteinführung einer Neuentwicklung in allen Einzelheiten zu planen. Sie erklärten uns, warum es für ein Unternehmen wichtig ist, immer wieder neue Produkte zu entwickeln und auf den Markt zu bringen. Sie meinten, man könne sich nicht einfach auf dem Erfolg ausruhen, sondern müsse ständig innovativ sein. Für sie hängt der Erfolg einer Firma aber auch vom Arbeitsklima im Betrieb und von der Zusammenarbeit untereinander ab.

„In unserem Team ist man schneller per Du, was gewiss zu einem lockeren Arbeitsklima beiträgt. Unser Arbeitsstil ist kreativ, zielgerichtet, und effizient."
(Susanna Pfeifer)

„In unserer Abteilung sind wir zwei Frauen und ein Mann. Wir haben ein gutes Verhältnis untereinander. Wenn wir ein Problem haben, setzen wir uns zusammen und suchen gemeinsam eine Lösung."
(Sophie Franke)

A7

Einen Prozess beschreiben

a) Hören und notieren Sie die wichtigsten Stationen „von der Idee zum Produkt".
b) Was haben Frau Pfeifer und Frau Franke nicht erwähnt? Vergleichen Sie mit dem Schema.
c) Wie geht es wohl weiter? Beschreiben Sie die nächsten Phasen.

→Ü13 – Ü17

Die Entwicklung eines neuen Produkts
(Schema des Entwicklungsprozesses)

Phase A Ideen-Entwicklung und Dokumentation	**Phase B** Konzept-Erarbeitung	**Phase C** Machbarkeitsstudie	**Phase** Erpro
• Ideen sammeln bei: Medizinern, Personen aus Forschung & Entwicklung und Marketing, externen Experten und Expertinnen • Markttrend klären durch: Lektüre von Fachzeitschriften; Studium der Marktzahlen und der Konkurrenz; Gespräche mit Verkaufsmanagern und Leuten vor Ort	• Zielgruppe festlegen • Inhaltsstoffe bestimmen (zusammen mit Experten) • Form und Dosierung bestimmen • Nutzen für Konsumenten beschreiben (rational und emotional) • Preis festlegen (Vergleich mit der Konkurrenz)	• Marketing: Situationsanalyse (Stärken/Schwächen) • Forschung & Entwicklung (Festlegung der Inhaltsstoffe: Vitamine, Mineralstoffe usw.) • Materialbeschaffung (Einkauf von Rohmaterial und Verpackungsmaterial) • Produktion (Produktionsort, Maschinen) • Namen für Produkt suchen	
Monat 1	**Monat 2**	**Monat 3**	**Mon**

(Durchschnittlicher Zeitaufwand)

Auftrag 2 Stellen Sie Ihren (Wunsch-)Arbeitsplatz vor:
Bringen Sie Fotos mit und erzählen Sie; spielen Sie kurze Szenen; machen Sie eine Reportage; formulieren Sie „10 goldene Regeln" für einen guten Arbeitsplatz, … .

3 Der Auftrag

Die Entwicklung des Produkts geht voran. Seine Zusammensetzung und die Form sind festgelegt. Jetzt fehlt noch die Verpackung und der Name. Für die Namensfindung gibt Vitopharm oft einen Auftrag an eine andere Firma, die auf diesem Gebiet spezialisiert ist. Das *Moment mal!*-Team begleitete Frau Franke zu einer Sitzung, bei der es um den Namen für das neue Produkt ging. Dort trafen wir einen Vertreter der Firma CLAC, Herrn Künzle. Eine solche Sitzung findet immer dann statt, wenn es um einen neuen Auftrag geht. Beim sogenannten „Briefing" erklärte Frau Franke den Auftrag: was das Besondere an dem neuen Produkt ist, wie es zusammengesetzt ist, für wen es gedacht ist und was speziell beachtet werden muss. Herr Künzle konnte dabei nachfragen und den Inhalt des Auftrags präzisieren. Auch Abgabetermine und finanzielle Fragen wurden besprochen.

Herr Künzle

BESPRECHUNGSNOTIZ

Ort/Datum: Frankfurt/Main, Hotel Altea, 21.08.
Teilnehmer/innen: Frau Sophie Franke, Vitopharm
Herr Beda Künzle, CLAC
Thema/Auftrag: Namensfindung Stärkungsmittel, weltweit (Sprachprobleme beachten!)

Zielgruppe: 25–40 Jahre
Inhaltsstoffe: Stärkungsmittel mit Extrakten aus der Rinde des *Okoubaka*-Baums
Form: Tabletten, attraktiv für junge Leute, kein Krankheitsimage, sofortige Wirkung
Nutzen für Konsumenten:
- emotional: trendy, leistungsfähiger werden, Lust auf Reisen und Erfolg im geschäftlichen sowie im privaten Bereich haben;
- rational: natürliche Wirk- und Aufbaustoffe; Mittel gegen Magenbeschwerden (*Okoubaka*-Extrakt)

Indikation: stärkt den Körper, hilft bei Müdigkeit und Magenbeschwerden und fördert das allgemeine Wohlbefinden

---

VITOPHARM
PHYTOPLAN PRODUCTS

Mail address:	Premises:	Telephone +49 (0)69 6 97 48-0
Vitopharm	Vitopharm AG	Telefax +49 (0)69 6 97 48-2 22
P.O. Box	Flughafenstraße 227	E-mail head@vitopharm.de
D-60054 Frankfurt	D-60528 Frankfurt	

Sehr geehrter Herr Künzle,

wir beziehen uns auf unser heutiges Treffen in Frankfurt:
Briefing zur Namensfindung für ein Stärkungsmittel.
Wir bestätigen hiermit unseren Auftrag wie folgt:

Auftrag: Kreation eines internationalen Markennamens für ein neues Produkt
Liefertermin: Mitte September
Honorar: DM 5000 für 4 Vorschläge
inklusive Copyrights, exklusive Mehrwertsteuer
Bezahlung: nach erfolgter Lieferung

Mit freundlichen Grüßen

Auftrag 3 Sie wollen ein neues Produkt oder ein neues Gerät auf den Markt bringen:
- Beschreiben Sie kurz das Produkt / das Gerät.
- Formulieren Sie einen Auftrag für eine Namensfindung oder eine Werbekampagne.

A8
Einen Auftrag verstehen
a) Welche Informationen brauchen Sie, bevor Sie einen Auftrag übernehmen? Notieren Sie wichtige Punkte.
b) Hören Sie das Interview und notieren Sie weitere Stichpunkte.
c) Vergleichen Sie mit der Besprechungsnotiz.
→Ü18

A9
a) Ergänzen Sie Ihre Informationen zum Auftrag.
b) Beschreiben Sie mit Hilfe Ihrer Notizen den Auftrag.
c) Wie schreibt man einen Geschäftsbrief? Sammeln Sie wichtige Ausdrücke.
→Ü19 – Ü20

4 Der Name

 A10

**Eine
Arbeitstechnik
beschreiben**

a) Betrachten Sie
das Foto
und hören Sie
das Interview.
Notieren Sie
die Arbeitsschritte
der Namensfindung.
b) Beschreiben Sie
die Arbeitstechnik.
c) Sammeln Sie
andere
Möglichkeiten
und Techniken.

➜Ü21 – Ü23

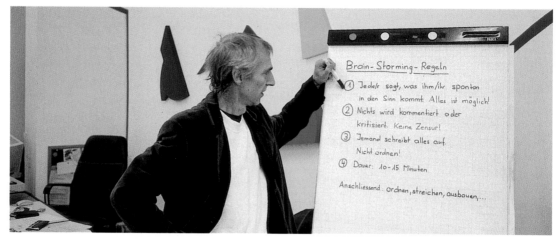

● Herr Künzle, wie gehen Sie bei der Namensfindung vor?
○ Wir arbeiten in einem Team von drei bis vier Personen. Zuerst versuchen wir, uns die Zielgruppe vorzustellen. Dann überlegen wir, welche Elemente und Assoziationen mit dem
Produkt verbunden sind, also in diesem Falle mit „Okoubaka". Danach machen wir zusammen ein Brainstorming. Wir füllen dabei spontan mehrere Seiten mit Wörtern und Silben,
die uns einfallen. Da kommen dann vielleicht 20 neue Namen heraus.
● Und was machen Sie dann mit diesem Material?
○ …

A11

**Bewerten
und begründen**

a) Lesen Sie
die elf Namen
links laut.
Welcher gefällt
Ihnen spontan am
besten?
b) Wählen Sie
von den vier Namen
rechts einen aus
und begründen Sie
Ihre Wahl.

DINODAN
Aussprache: [dino'daːn], [dinə'daːn], ['dainədən], frz. DINODANE.
Aus DYNamik und der pharmazeutisch anklingenden Endung -(D)AN auf-
gebaut. Die strenge Wortsymmetrie wird gemildert durch die „weiche"
Aussprache des Namens (zwei stimmhafte „D") und die volle Vokalstruktur
(I-O-A). Die vermittelte Botschaft: „Bewegung, Dynamik, aber in geordneten
Bahnen".

OKOOBA
Leicht auszusprechen: -oo- länderspezifisch als [oː], engl. [uː].
OKOOBA nimmt den Namen des Wirkungsmittels Okoubaka auf. Dreisilbiger
Rhythmus mit visuell und akustisch einprägsamer Vokalfolge.

XAMBAKA
Dt., ital., span. [ksam'baka], franz. nasaliert, engl. ['ksʌmbəkə] bzw.
['ksæmbəkə]. Port.-brasil. [ʃamba'ka]. XAMBA-, wie Samba, südamerikan.
Tanz. Bedeutung: „Rhythmus, beschwingt, Karneval". XAM- im Anlaut ist
ein reines Fantasie-Wort.
Kernaussage: „Arzneimittel mit jugendlichem, frischem Schwung".

BAKUBAN /BAKOOBAN /BAKUSAN
Aussprache problemlos; franz. -ANE. Variante denkbar auch mit -oo- im
Inlaut. Anspielung auf OKOUBAKA (O-OU-A zu A-U-A), auf Exotik, vgl.
das Königreich Kuba bzw. Bakuba im Zentral-Kongo; „Empire Bakuba" =
Rock-Band aus Kinshasa. Die Variante BAKUSAN mit -SAN betont stärker die
heilende Komponente des Produkts.

➜Dossier

Auftrag 4 Suchen Sie selbst einen Namen für das Okoubaka-Produkt oder für „Ihr
Produkt" aus Auftrag 3. Beachten Sie dabei die Brainstorming-Regeln.
– Sprechen Sie anschließend in der Gruppe über diese Technik.
– Stellen Sie Ihre Produktnamen vor und begründen Sie Ihre Entscheidungen.

Auftrag 5 Entwerfen Sie eine Verpackung für das Produkt.

5 Das Produkt

Information für Patienten

Bakuban® Vitopharm

Was ist Bakuban Vitopharm und wann wird es angewendet?

Bakuban Vitopharm ist ein Präparat aus Okoubaka-Extrakt, 8 Vitaminen, 5 Mineralstoffen und Spurenelementen. Der verwendete Okoubaka-Extrakt Vitopharm wird aus der zerstoßenen Rinde des Okoubaka-Baumes, der in Afrika beheimatet ist, nach einem speziellen Verfahren hergestellt. Bakuban Vitopharm dient zur kurzfristigen Anwendung bei allgemeiner Müdigkeit, bei Übelkeit und Erbrechen sowie zur Stärkung nach Infektionen oder Grippe. Das Präparat kann ferner vorbeugend bei Reisen in ferne Länder eingenommen werden (Umstellung auf ungewohnte Kost).

Wann darf Bakuban Vitopharm nicht angewendet werden?

Bakuban Vitopharm darf nicht eingenommen werden bei bekannter Überempfindlichkeit gegen einen der Inhaltsstoffe. Informieren Sie Ihren Arzt, Apotheker oder Drogisten, wenn Sie
– an anderen Krankheiten leiden,
– Allergien haben,
– oder andere Medikamente (auch selbst gekaufte!) einnehmen.

Wie nehmen Sie Bakuban Vitopharm ein?

1 Tablette täglich, vorzugsweise vor dem Frühstück oder vor dem Mittagessen. Zur Vorbeugung bei Reisen: 3–5 Tage vor der Abreise mit der Einnahme beginnen.

A12

Produkt-beschreibungen verstehen

a) Wer sollte das Produkt nicht nehmen? Suchen Sie Antworten im Text.
b) Für wen sind solche Produkte? Was glauben Sie?

Das *Moment mal!*-Team hat einige Leute gefragt, was sie über solche Mittel denken. Wir haben sie auch gefragt, was sie für ihre Gesundheit tun und wie sie sich gegen Krankheit schützen.

A13

Stellung nehmen

a) Mit welchen Aussagen sind Sie einverstanden? Mit welchen nicht? Warum?
b) Machen Sie ein Interview mit Ihrem Partner / Ihrer Partnerin. Notieren Sie für sich zuerst Fragen zu:

• Gesundheit/ Krankheit
• Medikamente
• Eigene Tipps und Tricks
• Essgewohn-heiten

① „Ich nehme regelmäßig jeden Morgen eine Kapsel mit Vitaminen. Dann fühle ich mich gut und muss nicht noch lange überlegen, was ich essen sollte. So habe ich alles, was ich brauche. Ich finde das eine sehr praktische Methode, gesund zu bleiben. Wenn ich dann doch einmal erkältet bin oder etwas Fieber habe, benutze ich mein Hausmittel: viel Lindenblütentee mit Honig trinken, viel schlafen und schwitzen und vor allem im Bett bleiben. So bin ich dann spätestens nach drei Tagen wieder gesund."

② „Ich halte nichts von solchen Mitteln. Ich glaube, die Natur gibt uns alles, was wir brauchen. Ich esse einfach viel Gemüse und Früchte. Zum Frühstück nehme ich ein Müsli mit einem Joghurt. Und wenn ich tagsüber mal Hunger habe, dann esse ich Obst. Da brauche ich solche Zusätze in Form von Pulvern und Tabletten gar nicht. Trotzdem bin ich froh, dass es die Schulmedizin gibt. Ich hatte kürzlich eine schwere Magenoperation, und ohne Medikamente wäre ich auch nicht so schnell gesund geworden."

Auftrag 6 Stellen Sie im Kurs eine schriftliche Sammlung von einfachen Hausmitteln zusammen.

→Ü24 – Ü25

A14   6 Aussprache: frei sprechen

Eine Rede vorbereiten

Was soll die Rede erreichen?

Worüber spreche ich?	*Thema wählen*
Zu wem spreche ich?	*Publikum einschätzen*
Warum spreche ich?	*Ziel formulieren*

Vitamine
Deutschkurs + Lehrerin
Gesunde Ernährung

A15

a) Vergleichen Sie Suchfragen und Stichwörter.
b) Sammeln Sie mehr Stichwörter.
c) Hören Sie zu. Formulieren Sie dann halblaut aus Stichwörtern kurze Sätze.

① Wie ist die Situation jetzt? → ② Welche Ursachen gibt es? → ③ Was soll in Zukunft sein? → ④ Wie ist das Ziel zu erreichen?

nervös sein

Nüsse essen

zu viele Konserven essen

leistungsfähig sein

Vitamintabletten nehmen

wach und munter sein

frisches Gemüse essen

zu wenig Obst essen

Granulat / Pulver in Wasser auflösen und trinken

keine Lust zu arbeiten haben

müde sein

A16

a) Ordnen Sie zu.
b) Sprechen Sie dabei halblaut Sätze mit fallender Stimme.

→Ü30 – Ü32

① Situation jetzt?	② Ursachen?	③ Was in Zukunft?	④ Wie Ziel erreichen?
nervös sein	zu wenig Obst essen	wach und munter sein	frisches Gemüse essen

A17

Eine Rede genau planen

a) Lesen Sie den ersten und letzten Rede-Satz laut.
b) Formulieren Sie *Ihren* Anfang und Schluss. Sprechen Sie mehrfach laut.

Ich möchte heute über die Bedeutung von Vitaminen zu euch sprechen …

… Vitamine sind also das Wichtigste für eine gesunde Ernährung!

A18

a) Lesen Sie den Stichwortzettel und schreiben Sie Ihren eigenen.
b) Markieren Sie.
c) Hören Sie.

→Ü33

Einleitung: „Ich möchte heute über die Bedeutung von Vitaminen zu euch sprechen." ↘//A

① Viele Leute: nervös, müde ↘//A
② Ursachen: Konserven, wenig Obst ↘//A

Pausen:	//
Stimme fällt:	↘
Atmen:	A

7 Wortschatz

Die Satzfabrik

der Markt
die Position
die Konkurrenz
der Umsatz
die Zahlen
der Verkauf
das Produkt
der Konsum
der/die Konsument(in)
der Kunde / die Kundin

das Arbeitsklima
das Team
der/die Partner(in)
der Kollege / die Kollegin
der/die Mitarbeiter(in)
die Zusammenarbeit
der Kontakt

die Arbeit
die Verwaltung
die Forschung
die Produktion
die Maschine

das Lager
der Vertrieb
die Werbung
der Verkauf

die Idee
das Ziel
der Zweck
die Erfahrung
der Erfolg

die Sitzung
die Besprechung
das Thema
die Lösung
der Auftrag
der Termin

die Stärke
die Schwäche
das Risiko

die Gesellschaft
das Unternehmen
die Firma
das Geschäft
der Bereich
die Abteilung

herstellen
produzieren
verteilen
beliefern
anbieten
verkaufen
konsumieren

gründen
entwickeln
wachsen
erweitern
zunehmen
abnehmen
abhängen von

erfinden
beobachten
untersuchen
bestimmen
prüfen
testen

verhandeln (mit/über)
besprechen
sich beschäftigen (mit)
planen
festlegen
sich kümmern (um)

weltweit
international
umfassend
erfolgreich
hoch
führend (in)

geschäftlich
technisch
wissenschaftlich
spezialisiert (auf)

effizient
kreativ
locker
mutig

Die Werbung – muss – den Kunden – überzeugen .

Die Mitarbeiterinnen in dieser Firma – sind – sehr kreativ .

Der Umsatz – wächst – schnell .

In der Besprechung – werden – die nächsten Termine – festgelegt .

Welches Unternehmen – ist – führend in der Produktion von Computern ?

A19

„Wirtschaft und Arbeit": Zusammenhänge darstellen

a) Lesen Sie die einzelnen Wort-Gruppen mehrmals: Was passt zusammen?
b) Zeichnen Sie eine Mind-map und vergleichen Sie.

A20

Wortfamilien zusammenstellen

a) Suchen Sie Wortfamilien mit Substantiven, Adjektiven, Verben:

die Arbeit
der Arbeiter
|
arbeitslos
|
arbeiten
bearbeiten
verarbeiten

b) Ergänzen und korrigieren Sie mit dem Wörterbuch.

A21

Wörter in Sätzen und Texten verwenden

a) Notieren Sie 10 Sätze zum Thema „Wirtschaft / Arbeitswelt".
b) Tauschen Sie Ihre Sätze mit einer anderen Gruppe. Schreiben Sie mit diesen Sätzen einen Text.

→Ü29

8 Grammatik

Attribute zum Substantiv

→Ü28 **a) Linksattribute und Rechtsattribute.**

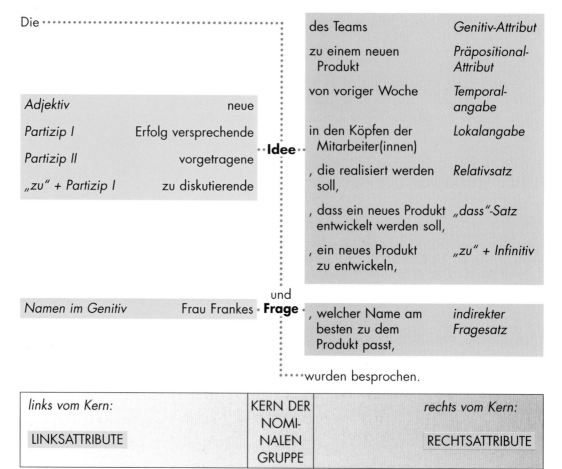

Die ···

	des Teams	*Genitiv-Attribut*
	zu einem neuen Produkt	*Präpositional-Attribut*
	von voriger Woche	*Temporal-angabe*
Adjektiv — neue	in den Köpfen der Mitarbeiter(innen)	*Lokalangabe*
Partizip I — Erfolg versprechende	, die realisiert werden soll,	*Relativsatz*
Partizip II — vorgetragene	, dass ein neues Produkt entwickelt werden soll,	*„dass"-Satz*
„zu" + Partizip I — zu diskutierende	, ein neues Produkt zu entwickeln,	*„zu" + Infinitiv*

···**Idee**···

und **Frage**

Namen im Genitiv — Frau Frankes	, welcher Name am besten zu dem Produkt passt,	*indirekter Fragesatz*

··········wurden besprochen.

links vom Kern: LINKSATTRIBUTE	KERN DER NOMINALEN GRUPPE	*rechts vom Kern:* RECHTSATTRIBUTE

→Ü8 **b) Attribute zu Attributen**

(1) Bei unserem Rundgang trafen wir **Sachbearbeiterinnen** mit Akten unter dem Arm sowie **drei Herren** mit Aktenkoffern, die aus einem Büro kamen.

(2) Vitopharm hat **ein** breit gefächertes **Know-how** in der Entwicklung von pharmazeutischen Produkten.

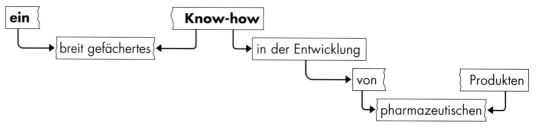

Ergänzungen beim Adjektiv

→Ü27

„Ich bin für die Öffentlichkeitsarbeit **verantwortlich**. Unsere Produktionsstätten sind über die ganze Welt **verteilt**. Deshalb ist es gut, dass der Flughafen nur wenige Meter von der Firma **entfernt** ist. So sind wir zu jeder Zeit mit der ganzen Welt **verbunden**."

```
                              ADJEKTIV (oft aus einem Verb abgeleitet)
PRÄPOSITIONALERGÄNZUNG ◄───
```

Ergänzungen beim Substantiv

→Ü14 – Ü15

Die **Entwicklung** eines pflanzlichen Arzneimittels :

Phase A: **Lektüre** von Fachzeitschriften , **Studium** der Marktzahlen ,
           Gespräche mit Verkaufsmanagern .

Phase B: **Nutzen** für Konsumenten beschreiben, **Vergleich** mit der Konkurrenz .

```
SUBSTANTIV (meistens von einem Verb abgeleitet)
           ↘ GENITIVERGÄNZUNG (oder Ersatzform mit „von")
           ↘ PRÄPOSITIONALERGÄNZUNG
```

Nebensätze als Ergänzungen bei Verben

a) Nebensätze als Subjekt

→Ü22 – Ü23

Es   **ist** wichtig, dass die Verpackung und der Name stimmt .
Dass die Verpackung und der Name stimmt , **ist** wichtig.
Es   **ist** auch wichtig, immer wieder neue Produkte *zu entwickeln* .
Immer wieder neue Produkte *zu entwickeln* , **ist** auch wichtig.

```
VERB ──► SUBJEKT : „dass"-Satz          ◄──► „es"
                   Infinitiv-Satz mit „zu" ◄──► „es"
```

b) Nebensätze als Akkusativergänzung

Sie **erklärten** uns,   *dass* es wichtig ist, immer wieder neue Produkte *zu entwickeln* .
Zuerst **versuchen** wir,   uns die Zielgruppe *vorzustellen* .
Dann **überlegen** wir,   *welche* Assoziationen mit dem Produkt verbunden sind .

```
VERB ──► AKKUSATIVERGÄNZUNG : „dass"-Satz
                              Infinitiv-Satz mit „zu"
                              Indirekter Fragesatz
```

c) Nebensätze als Präpositionalergänzung

→Ü26

Die Verkaufsmanager **achten** **darauf** ,   *dass* man den Namen gut aussprechen kann .
Die Firma **beauftragt** Experten **(damit)** , einen Namen für das neue Produkt *zu finden* .
Die Experten **erkundigen sich (danach)** ,   *woraus* das Produkt bestehen soll .

```
VERB ──► PRÄPOSITIONALERGÄNZUNG : „dass"-Satz
                                  Infinitiv-Satz mit „zu"
                                  Indirekter Fragesatz
```

Soziale Sicherheit

1 Nur ein kleiner Fisch

Freitag 2. Oktober

Horst Baier, Elektroinstallateur, beeilt sich, nach Hause zu kommen. Um 14 Uhr packt er sein Werkzeug zusammen, ordnet es in seine schwarze Ledertasche, zieht seinen blauen Arbeitsoverall aus und verstaut die Sachen im Kofferraum seines fast neuen VW „Golf".

5 Schon morgen braucht er sie wieder. Das Gartenhäuschen eines Bekannten ist fast fertig, und er soll dort die elektrischen Anschlüsse verlegen.

Den Nebenverdienst kann er gut gebrauchen, und außerdem kann er dabei das Wochenende mit seinem kleinen Sohn verbringen.

a) Lesen Sie und schauen Sie die Fotos ① und ② an: Was passiert da?
b) Was ist am 2. Oktober wirklich passiert? Hören Sie und vergleichen Sie mit *Ihrer* „Geschichte".

c) Wie ist Horst Baier wohl ins Krankenhaus gekommen (Fotos ③ und ④)? Erzählen Sie die Geschichte.

→Ü1 – Ü3

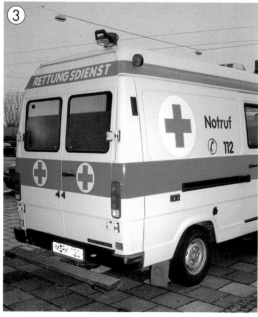

Auftrag 1 Was muss ein Ausländer in Ihrem Land in einem solchen Fall (Unfall, Krankenhaus) beachten? Schreiben Sie Informationen und Tipps auf Deutsch.

2 Ein komplizierter Beinbruch

10 Marianne Baier sitzt am Krankenbett ihres Mannes. Sein Kopf ist
bandagiert, der rechte Ellbogen verbunden. Aber das sind nur Kratzer
im Vergleich zu seinem rechten
Bein: Das steckt bis zum
15 Oberschenkel in einem
weißen Gipspanzer.
„Hast du Schmerzen?"
„Ja, ziemlich. Jedesmal,
wenn ich mich bewege.
20 Stopf mir bitte mal das
Kopfkissen zwischen die
Schultern, damit ich
mich anlehnen kann."
Stöhnend sinkt er
25 auf das Kissen und
versucht ein Lächeln.
„Rufst du gleich
am Montag in der
Firma an und …?"

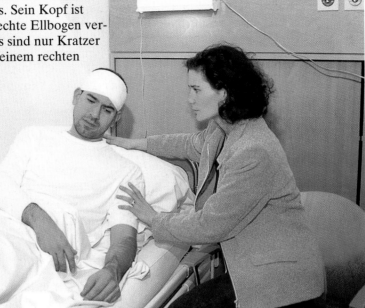

**Ein Gespräch
auswerten**

a) Beschreiben Sie
den Zustand
von Horst Baier.
b) Was soll
Marianne
am Montag
alles machen?
Notieren Sie
Stichwörter und
erzählen Sie.

→Ü4

30 Während Frau Baier zu
Hause die Anrufe erledigt,
betritt eine Karawane weiß ge-
kleideter Menschen das Krankenzimmer: Der Chefarzt ist aus dem
35 Wochenende zurück, und mit Medizinstu-
denten und Krankenschwestern steht er vor
dem Bett von Horst Baier.
„So ein Trümmerfeld kannte ich bisher nur
von Motorradunfällen. Aber bei Ihnen ist es
40 wohl beim Angeln passiert? Hat Sie ein Hai
erwischt?" Ärzte-Humor.
Was dann folgt, versteht Horst nur zur Hälfte: ein komplizierter Drehbruch, gerissene
Bänder, kaputte Kniescheibe. Nachoperation
45 notwendig, eine langwierige Geschichte … .

**Informationen
sammeln und
austauschen**

a) Hören Sie
und sammeln Sie
Informationen
zu den beiden
Telefonaten:

Firma:
Krankenkasse:

b) Montagabend:
Horst erzählt
von der Arzt-Visite,
Marianne von ihren
Telefonaten.
Spielen Sie.

→Ü5 – Ü6

Horsts Kollegen kommen nach Feierabend zu
Besuch. In Geschenkpapier eingewickelt eine
Flasche, ein Blumenstrauß und ein Briefumschlag, teures Papier.
50 Zunächst sind sie schüchtern, setzen sich an
das Krankenbett. Begutachten den Gipsverband, erzählen
eigene Krankengeschichten. Die Stimmung wird lauter,
die Scherze werden derber.
Als sie zu rauchen anfangen, weist sie die Stations-
55 schwester auf die Hausordnung hin. Ein willkommener
Anlass zu gehen. Vorsichtig dreht sich Horst zum Nachttisch und öffnet den Briefumschlag: eine Karte vom Chef,
mit blauer Tinte geschrieben: „Gute Besserung!"

Der Chef möchte
von Horsts
Kollegen wissen,
wie es ihm geht.
Spielen Sie
das Gespräch.

→Ü7 – Ü8

3 Die Kündigung

 A5

Fragen klären

a) Wie und warum wird Horst gekündigt?
b) Was soll Marianne jetzt machen?

 Freitag **9.** Oktober

60 „Horst, sag doch was! Horst, da müssen wir was tun! Ich ruf gleich heut Mittag beim Arbeitsamt an. Das geht doch nicht …!"
Horst Baier betrachtet stumm den Brief, den seine Frau Marianne mitgebracht hat:

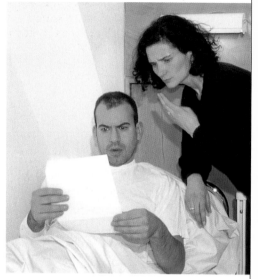

Elektro Fischer

Kündigung des Arbeitsverhältnisses

Sehr geehrter Herr Baier,

aus betrieblichen Gründen kündigen wir fristgemäß den mit Ihnen am 1. 9. 1988 geschlossenen Arbeitsvertrag.
Der uns von der Stadt erteilte Großauftrag mit seiner engen Terminierung zwingt uns dazu, sofort einen neuen Mitarbeiter als Ersatz für Sie einzustellen.
Wir wünschen Ihnen baldige Genesung.

Mit freundlichen Grüßen

E. Fischer

c) Welche Informationen bekommt Marianne beim Arbeitsamt?

→Ü9 – Ü11

„… Ich ruf auf jeden Fall beim Arbeitsamt an."
„Ja, mach das. – Du kannst ja auch mal Ernst fragen, der ist Gewerkschaftsmitglied und außerdem Betriebsrat in seiner Firma. Vielleicht weiß der, was man da machen kann."

 A6

Begriffe klären

Klären Sie mit Hilfe eines Wörterbuchs:

· Arbeitsverhältnis
· Arbeitsgericht
· Kündigungsfrist
· Lohnfortzahlung
· Vollmacht

→Ü12

65 Samstag **10.** Oktober

„… Tja, mein Lieber, das ist ein schwieriger Fall. Aber ich denke, da kann man trotzdem was machen."
Ernst Jankowski sitzt am Krankenbett, auf den Knien eine Menge Papier und das Kündigungsschreiben.
„Ja? Glaubst du wirklich?"
70 „Also, pass mal auf: Zunächst müssen wir mal klären, wie lange dein Chef deinen Lohn weiterbezahlt. – Bist du schon mal längere Zeit krank gewesen?"
„Nein. Das Längste waren mal, glaub ich, fünf Tage. … Mindestens sechs Wochen lang muss ich meinen Lohn weiterbekommen, haben die bei der Krankenkasse gesagt."
„Richtig. Aber nur, wenn das Arbeitsverhältnis nicht gekündigt ist. Bei einer Kündigung
75 muss der Arbeitgeber nur bis zum Ende der Kündigungsfrist, also … warte mal …, in deinem Fall nur noch bis zum 15. November …"
„Und wenn er nur noch bis zum 15. Oktober zahlt?"
„Dann klagen wir beim Arbeitsgericht auf Lohnfortzahlung."
„Arbeitsgericht? Ich soll gegen meinen Chef vor Gericht ziehen?"
80 „Nein, nicht sofort. Erst sollten wir mit ihm sprechen, und das möglichst schnell, und nicht nur über die Lohnfortzahlung, sondern auch über die Kündigung."
„Meinst du wirklich? Und wer soll das denn machen?"
„Deine Frau zum Beispiel. Und wenn du mir eine Vollmacht gibst, können Marianne und ich zusammen mit ihm sprechen."
85 „Also, ich weiß nicht … Was wollt ihr ihm denn sagen?"
„Das besprechen wir morgen."

 A7

Auswerten und wiedergeben

Wozu rät Ernst? Berichten Sie.

Auftrag 2 Machen Sie eine Wandzeitung mit der Chronologie der Geschichte.

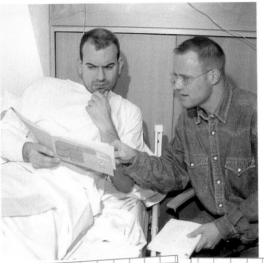

| Sonntag |
| 11. |
| Oktober |

90 Horst und Marianne beraten zusammen mit Ernst eine Strategie für das geplante Gespräch mit dem Chef. Ernst hat auf einem Zettel mögliche Wünsche und Forderungen aufgeschrieben.

Außerdem hat er notiert, wie man die Wün-
95 sche und Forderungen begründen kann. Schließlich hat er sich auch schon Notizen für den Fall gemacht, dass der Chef es ablehnt, auf diese Forderungen und Wünsche einzugehen.

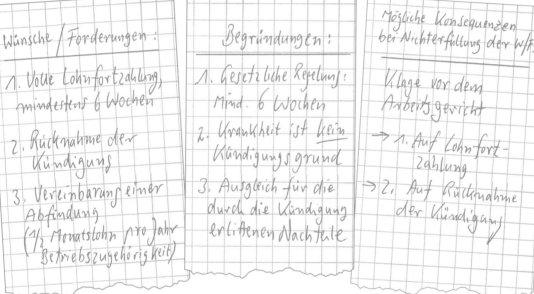

Wünsche / Forderungen:

1. Volle Lohnfortzahlung, mindestens 6 Wochen

2. Rücknahme der Kündigung

3. Vereinbarung einer Abfindung (1/2 Monatslohn pro Jahr Betriebszugehörigkeit)

Begründungen:

1. Gesetzliche Regelung: Mind. 6 Wochen

2. Krankheit ist kein Kündigungsgrund

3. Ausgleich für die durch die Kündigung erlittenen Nachteile

Mögliche Konsequenzen bei Nichterfüllung der W/F.:

Klage vor dem Arbeitsgericht

→ 1. Auf Lohnfortzahlung

→ 2. Auf Rücknahme der Kündigung

A8

Ein Gespräch planen

Lesen Sie die Notizen:
a) Auf welche Strategie werden sich Horst, Marianne und Ernst vermutlich einigen?
b) Welche Strategie würden *Sie* wählen?

→Ü16

100 | Mittwoch |
| 14. |
| Oktober |

Ungeduldig wartet Horst Baier auf seine Frau. Gestern hat das Gespräch mit seinem Chef stattgefunden. Endlich kommt Marianne.

105 „Nun sag schon, wie hat er reagiert?"
„Zunächst ziemlich sauer. Als er aber die Vollmacht gesehen hat und erfahren hat, dass Ernst Betriebsrat und Gewerkschaftsmitglied ist, konnten wir uns ganz sachlich
110 mit ihm unterhalten."
„Und? Nun sag schon!"
„Also, …"

A9

Ergebnisse einer Verhandlung zusammenfassen

a) Fassen Sie die Ergebnisse der Verhandlung von Marianne und Ernst mit dem Chef zusammen.
b) Spielen Sie das Gespräch.

→Ü17

4 Krank und arbeitslos

A10

Einen Text tabellarisch auswerten

a) Notieren Sie die Probleme von Horst und Marianne mit Lösungsmöglichkeiten:

Problem	Lösung
...	...

b) Was würden *Sie* tun? Diskutieren Sie.

→Ü18 – Ü19

 Dienstag 1. Dezember

„Das kriegen wir schon hin. Am wichtigsten ist, dass du bald wieder auf die Beine kommst."

115 „Mensch, Marianne, überleg doch mal: Mit dem Krankengeld kommen wir gerade auf die Hälfte von dem, was wir bisher hatten. Ich hab doch immer noch nebenbei dazuverdient …"

„Dann such ich mir eben eine Halbtagsarbeit. Walter ist jetzt groß genug …"

„Kommt nicht in Frage! Mein Sohn – ein Schlüsselkind, ausgeschlossen!"

120 „Horst, du denkst altmodisch! Es muss ja nicht für immer sein, nur solange du krank bist …"

„Am meisten Kopfzerbrechen macht mir das Auto. Der Arzt hat gesagt, wenn alles gut geht, kann ich in einem halben Jahr wieder laufen. In einem halben Jahr! Und die Raten fressen uns bis dahin auf …"

„Du, ich muss dir noch was sagen: Gestern hat die Bank angerufen, unser Überziehungs-125 kredit reicht nicht mehr aus. Du weißt, die Raten fürs Auto, und die letzte Rate für die Wohnzimmergarnitur – ich könnte ja meine Eltern bitten …"

„Kommt überhaupt nicht in Frage! Verkauf lieber das Auto! Schau mal, hier hab ich ein paar Adressen von Händlern angekreuzt."

Zögernd nimmt Marianne die gefaltete Tageszeitung.

A11

Einen Handlungsablauf rekonstruieren

Was hat Marianne wohl zwischen dem 1. 12. und dem 10. 12. gemacht? Erzählen Sie.

5 Perspektiven

130

Samstag 16. Januar

Horst Baier blickt in den nebligen Krankenhausgarten hinaus. Fröstelnd zieht er den Kragen seines Morgenmantels höher. Er lehnt auf einer Krücke, das eingegipste Bein zur Seite weggestreckt. Nach der zweiten Nachoperation traten „Komplikationen" auf, wie der Chefarzt meinte.

„Ich bleib ein Krüppel, ich werd mich nie wieder richtig bewegen können ..."

135 „Quatsch! Nun mal nicht den Teufel an die Wand! Die kriegen dich wieder hin, du wirst schon sehen."

Marianne glaubt selbst nicht so recht an ihre aufmunternden Worte ...

Die beiden letzten Monate waren eine einzige Lauferei von Amt zu Amt gewesen; dazwischen immer wieder Besuche im Krankenhaus. Das Auto war verkauft, natürlich mit

140 Verlust. Nebenbei hatte sie eine Stelle als Aushilfe in einem Supermarkt gefunden. Das Geld reichte trotzdem nicht. Was beide wussten, aber bisher nicht auszusprechen wagten: Demnächst müssten sie eine billigere Wohnung suchen.

Die Klage gegen die Kündigung war zwar eingereicht, aber die Verhandlung vor dem Arbeitsgericht würde erst in einem halben Jahr stattfinden. Die Arbeitsgerichte waren

145 völlig überlastet. ...

A12

Situationen beschreiben

Wie ist die Situation von Horst/Marianne am 16. Januar? Berichten Sie.

→Ü20

Variante A:

Horst wird nach ca. einem halben Jahr wieder voll arbeitsfähig.
Er gewinnt auch den Prozess vor dem Arbeitsgericht.

> **Auftrag 3**

Variante B:

Horst bleibt zu 30% arbeitsunfähig. Er verliert den Prozess, bezieht 78 Wochen lang Krankengeld, danach Arbeitslosengeld. Er macht eine Umschulung, findet trotzdem keine Arbeit, bezieht wieder Arbeitslosengeld, danach Arbeitslosenhilfe, dann Sozialhilfe.
Auch Marianne verliert ihren Aushilfsjob im Supermarkt, ist ebenfalls arbeitslos, hat aber weder Anspruch auf Arbeitslosengeld noch auf Arbeitslosenhilfe.

> **Auftrag 3**

- Entwerfen Sie in Partner- oder Gruppenarbeit den weiteren Verlauf der Geschichte: Wählen Sie Variante A oder B oder eine eigene Variante; schreiben Sie einen Stichpunktzettel.
- Präsentieren Sie Ihre Geschichte als Erzählung im Kurs.

→Dossier

A13

Komposita
analysieren
und verstehen

a) Was ist eine
„Arbeitsunfähigkeits-
bescheinigung"?
Lesen Sie,
analysieren Sie und
schlagen Sie nach.
b) Suchen Sie
die Bedeutung von
– „Lohnfortzahlung",
– „Arbeitslosengeld".

➜Ü26

6 Wortschatz

1. Auf den Kontext achten:

Als Frau Baier bei der Firma ihres Mannes anruft, um ihn nach seinem Unfall krank zu melden, sagt die Sekretärin zu ihr: „Denken Sie bitte daran, dass Sie uns die Arbeitsunfähigkeitsbescheinigung zuschicken."

Als Frau Baier bei der Krankenkasse anruft, sagt der Mitarbeiter zu ihr: „Das Krankenhaus hat sich schon mit uns in Verbindung gesetzt, die Arbeitsunfähigkeitsbescheinigung des Arztes wird in den nächsten Tagen zugeschickt."

2. Wortbildung und Teilbedeutungen analysieren:

Arbeit / s / unfähigkeit / s / bescheinigung

die Arbeit   die Unfähigkeit / unfähig   die Bescheinigung

3. Unklare Teilbedeutungen im Wörterbuch nachschlagen:

Ar·beit *die*; -, -*en*; **1** *die A.* (*an etw.* (*Dat*)) die Tätigkeit, bei der man geistige od. / u. körperliche Kräfte einsetzt u. mit der man e-n bestimmten Zweck verfolgt

un·fä·hig *Adj*; nicht adv; **1** (*zu etw.*) u. nicht in der Lage, etw. Bestimmtes zu tun: *Er ist u., e-e Entscheidung zu treffen; Sie ist zu e-m Mord u.* **2** für seine Aufgaben nicht geeignet ⟨ein Mitarbeiter⟩ ‖ *hierzu* **Un·fä·hig·keit** *die*; *nur Sg*

Be·schei·ni·gung *die*; -, -*en*; **e-e B.** (*über etw.* (*Akk*)) ein Blatt Papier, auf dem etw. bestätigt ist ⟨e-e B. ausstellen, vorlegen⟩: *Bringen Sie e-e B. über Ihre Arbeitsunfähigkeit!*

A14

„Soziales Netz":
Wortfelder

a) Bei Krankheit:
Wer bezahlt
welche Kosten?
Lesen und
notieren Sie:

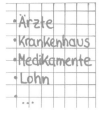

Vergleichen Sie.
b) Was kann man
in Deutschland tun,
wenn man
arbeitslos wird?
Diskutieren Sie.

➜Ü25

§§§ Das Arbeitsrecht §§§

– den Lohn vom Arbeitgeber weiter bekommen (Lohnfortzahlung)
– Anspruch auf Krankengeld von der Krankenkasse haben
– einem Arbeitnehmer den Arbeitsvertrag kündigen – die Kündigung bekommen
– sich einen Rechtsanwalt nehmen
– den Arbeitgeber beim Arbeitsgericht (auf Lohnfortzahlung/…) verklagen

Soziales Netz

Die Krankenversicherung

– der Arbeitnehmer / die Arbeitnehmerin:
  Beiträge an die Krankenkasse bezahlen
– die Krankenkasse: Krankheitskosten (Ärzte,
  Krankenhaus, Medikamente) übernehmen
– der Patient / die Patientin: krank
  geschrieben werden
– der Arzt / die Ärztin: eine Arbeitsunfähigkeitsbescheinigung ausstellen
– der Arbeitnehmer / die Arbeitnehmerin:
  den Unfall / die Krankheit beim Arbeitgeber melden; dem Arbeitgeber die
  Arbeitsunfähigkeitsbescheinigung
  zuschicken; Krankengeld beantragen/
  bekommen

Die Arbeitslosenversicherung

– den Arbeitsplatz verlieren
– sich beim Arbeitsamt arbeitslos melden
– Arbeitslosengeld beantragen/bekommen
– sich um einen Arbeitsplatz bewerben
– einen neuen Arbeitsplatz bekommen
– eine Umschulung machen /
  eine neue Berufsausbildung machen
– Arbeitslosenhilfe beantragen/bekommen

Die Sozialhilfe

– keine Arbeitslosenhilfe mehr bekommen
– zum Sozialamt gehen
– Sozialhilfe beantragen/bekommen

7 Grammatik

Deklination der Nominalgruppe: Übersicht

a) Genus- und Kasus-Signale im Singular

→Ü22 – Ü24

SING.	MASKULIN	NEUTRUM	FEMININ
NOM	(de) **r**	(da) **s**	(di) **e**
AKK	(de) **n**	(da) **s**	(di) **e**
DAT	(de) **m**	(de) **m**	(de) **r**
GEN	(de) **s**	(de) **s**	(de) **r**

Bestimmter Artikel/Demonstrativartikel/„welch-"/„jed-" + Adjektiv + Substantiv

SING.	MASKULIN	NEUTRUM	FEMININ
NOM	de **r** blaue Overall	da **s** kaputte Bein	di **e** schwarze Tasche
AKK	de **n** blauen Overall	da **s** kaputte Bein	di **e** schwarze Tasche
DAT	de **m** blauen Overall	de **m** kaputten Bein	de **r** schwarzen Tasche
GEN	de **s** blauen Overalls	de **s** kaputten Beins	de **r** schwarzen Tasche

„Wie gefällt euch … … da **s** kleine Haus …
… mit de **m** schönen Garten … … am Rande de **r** Stadt?"

Unbestimmter Artikel/Possessivartikel/„kein-" + Adjektiv + Substantiv

SING.	MASKULIN	NEUTRUM	FEMININ
NOM	ein blaue **r** Overall	ein kaputte **s** Bein	ein **e** schwarze Tasche
AKK	eine **n** blauen Overall	ein kaputte **s** Bein	ein **e** schwarze Tasche
DAT	eine **m** blauen Overall	eine **m** kaputten Bein	eine **r** schwarzen Tasche
GEN	eine **s** blauen Overalls	eine **s** kaputten Beins	eine **r** schwarzen Tasche

„Wir suchen … … ein kleine **s** Haus …
… mit eine **m** schönen Garten … … am Rand eine **r** großen Stadt."

Null-Artikel + Adjektiv + Substantiv

SING.	MASKULIN	NEUTRUM	FEMININ
NOM	blaue **r** Overall	kaputte **s** Bein	schwarz **e** Tasche
AKK	blaue **n** Overall	kaputte **s** Bein	schwarz **e** Tasche
DAT	blaue **m** Overall	kaputte **m** Bein	schwarze **r** Tasche
GEN	blauen Overall **s**	kaputten Bein **s**	schwarze **r** Tasche

Im Angebot: Gebrauchte **s** Auto …
… in gute **m** Zustand … … mit einjährige **r** Garantie.

WIEDERHOLUNG

→Ü22 – Ü23

b) Genus- und Kasus-Signale im Plural

PLURAL	MASKULIN / NEUTRUM / FEMININ
NOM	(di) **e**
AKK	(di) **e**
DAT	(de) **n**
GEN	(de) **r**

Artikelwort + Adjektiv + Substantiv   Null-Artikel + Adjektiv + Substantiv

PLURAL	MASKULIN / NEUTRUM / FEMININ	MASKULIN / NEUTRUM / FEMININ
NOM	di **e** schwarzen Taschen	▢ schwarz **e** Taschen
AKK	di **e** schwarzen Taschen	▢ schwarz **e** Taschen
DAT	de **n** schwarzen Taschen	▢ schwarz **en** Taschen
GEN	de **r** schwarzen Taschen	▢ schwarz **er** Taschen

„Wie gefallen Ihnen
di **e** weißen Häuser
mit de **n** kleinen Gärten?"

Im Angebot:
Groß **e** Wohnungen
in renoviert **en** Häusern.

c) Signal-„Wanderung"

SINGULAR	de **r** Balkon de **r** schöne Balkon ein schöne **r** Balkon ▢ schöne **r** Balkon	da **s** Haus da **s** kleine Haus ein kleine **s** Haus ▢ kleine **s** Haus	di **e** Wohnung di **e** große Wohnung ein **e** große Wohnung ▢ groß **e** Wohnung
PLURAL	di **e** schönen Balkone ▢ schön **e** Balkone	di **e** kleinen Häuser ▢ klein **e** Häuser	di **e** großen Wohnungen ▢ groß **e** Wohnungen

☞ Das **Signal** erscheint **nur einmal**: entweder beim **Artikelwort** oder beim **Adjektiv**.

→Ü13

Der Infinitiv als Substantiv

Horst angelt gern; das Angeln ist sein Hobby. Horst versucht zu lächeln ; aber das Lächeln
gelingt ihm nicht recht. Er versucht zu trinken ; aber beim Trinken hat er noch Probleme.
Seine Kollegen rauchen im Krankenzimmer; aber da ist das Rauchen verboten!

angeln	→	**das A**ngeln
lächeln	→	**das L**ächeln
trinken	→	**das T**rinken
rauchen	→	**das R**auchen

VERB	→	SUBSTANTIV (NEUTRUM)

SINGULAR	NEUTRUM
NOM	da **s** Angeln
AKK	da **s** Lächeln
DAT	de **m** Trinken
GEN	de **s** Rauchens

⚠ Kein Plural!

Artikel-Wörter als Pronomen: „mein-", „kein-", „ein-", „welch-"

→Ü14 – Ü15

● Vati, meine Köder sind alle, ich hab `keine` mehr. Hast du noch `welche`?
○ Ja, aber es sind nicht `die`, die du hast.
● Das macht nichts, ich kann auch `andere` nehmen …
   Vati, ich hab einen Fisch dran! Hast du auch `einen`?
○ Nein, ich hab noch `keinen`. – Warte, Walter, ich komme; gib mir mal deine Angelrute, und halt solange `meine` fest!

SING.	MASKULIN	NEUTRUM	FEMININ
NOM	meine **r** /keine **r** /eine **r**	mein **s** / kein **s** / ein **s**	mein **e** / kein **e** / ein **e**
AKK	meine **n** /keine **n** /eine **n**	mein **s** / kein **s** / ein **s**	mein **e** / kein **e** / ein **e**
DAT	meine **m** /keine **m** /eine **m**	meine **m** /keine **m** /eine **m**	meine **r** /keine **r** /eine **r**
GEN	– – – – – – – – –	– – – – – – – – –	– – – – – – – – –

PLURAL	MASKULIN / NEUTRUM / FEMININ
NOM	mein **e** / kein **e** / welch **e**
AKK	mein **e** / kein **e** / welch **e**
DAT	meine **n** / keine **n** / welche **n**
GEN	– – – – – – – – –

 Plural von „ein-" als Pronomen: **„welch-"**

Funktionsverb-Gefüge

→Ü21

Darf ich (Ihnen) **eine Frage** **stellen**? = Darf ich (Sie) etwas **fragen**?
Darauf kann ich Ihnen **keine Antwort** **geben**. = Darauf kann ich Ihnen nicht **antworten**.

FUNKTIONSVERB-GEFÜGE: **NOMEN + FUNKTIONSVERB**	NORMALES GEFÜGE: **VOLLVERB**
KERN DER AUSSAGE: **NOMEN** „Frage", „Antwort"	= KERN DER AUSSAGE: **VOLLVERB** „fragen", „antworten"

dem Arzt **eine Frage** **stellen** = den Arzt etwas **fragen**
auf eine Frage **(k)eine Antwort** **geben** = auf eine Frage **(nicht) antworten**
einen Antrag auf Krankengeld **stellen** = Krankengeld **beantragen**
einen Prozess gegen die Firma **führen** = gegen die Firma **prozessieren**
mit dem Chef **ein Gespräch** über … **führen** = mit dem Chef über … **sprechen**
einem Verletzten **Hilfe** **leisten** = einem Verletzten **helfen**
auf ein Gespräch **Bezug** **nehmen** = **sich** auf ein Gespräch **beziehen**
Forderungen nach höheren Löhnen **erheben** = höhere Löhne **fordern**

VOLLVERB: AKTIV

im Betrieb **zum Einsatz** **kommen** = im Betrieb **eingesetzt werden**
Wünsche können **in Erfüllung** **gehen** = Wünsche können schnell **erfüllt werden**
Beiträge sollen **Berücksichtigung** **finden** = Beiträge sollen **berücksichtigt werden**

VOLLVERB: PASSIV

 Verwendung: formell, eher schriftlich   informell, eher mündlich

Märchen erzählen

1 Eine Märchenerzählerin

 A1

Situationen beschreiben

a) Beschreiben Sie die Situation, in der *Sie* am liebsten Märchen hören/ hörten.
Was vom Foto passt dazu, was nicht?
b) Lesen Sie den Text und notieren Sie Körperteile und Mittel, die die Erzählerin einsetzt.

1. Augen →
Blickkontakt
2.
3.

c) Vergleichen Sie Ihre Notizen mit dem Foto.
→Ü1

 A2

Eigene und fremde Vorstellungen vergleichen

Ein „Märchenabend": Hören Sie einige kurze Ausschnitte. Was passt zu *Ihrer* Vorstellung vom Märchenerzählen, was nicht? Vergleichen Sie.
→Ü2 – Ü3

Sie sitzt auf gleicher Höhe wie ich im Publikum, das sie eng umgibt. Ihre Augen suchen immer wieder den Blickkontakt mit einzelnen Personen, verteilt im Raum – mal vorne links,
5 mal Mitte hinten, mal rechts –, als ob sie eine Antwort erwarten würde.
Ihre Körperhaltung ist zuerst gemütlich entspannt, dann wieder dynamisch angespannt. Manchmal steht sie auch auf.
10 Ihre Hände sind immer in Bewegung: Gesten laden uns zum Mitdenken und Fragen ein, verdeutlichen die Figuren, zeigen an, wie groß oder klein etwas ist.

Das wichtigste Requisit ist aber zweifellos
15 ihre Stimme. Ruhig, mit gleichmäßigem Atemrhythmus am Anfang, lebhaft, wenn die „Rollen" es verlangen, etwas lauter bei Ausrufen. Sie spricht nicht besonders langsam; aber wenn die Geschichte dramatischer
20 wird, spricht sie schneller. Jede Figur, jede Rolle hat ihr eigenes Tempo. Der Rhythmus und das Tempo halten die Spannung. Es ist, als ob sie mit drei Bällen jonglieren würde: Immer ist einer in der Luft, und erst mit dem
25 letzten Wort wird auch der letzte Ball gefangen.

Auftrag 1 Wo und wie werden Märchen oder andere Geschichten erzählt?
Skizzieren und beschreiben Sie eine typische Situation:
– Wer erzählt? (Alter, Generation)
– Was wird erzählt? (Themen, Handlung, Figuren)
– Wie wird erzählt? (Räume, Requisiten, Gesten, Stimme)
– Was macht das Publikum? (Atmosphäre, Aktionen, Zwischenfragen)
Machen Sie aus den Skizzen eine „Landkarte des Märchenerzählens".

 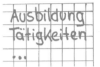

**Ausbildung
und Beruf/Arbeit
beschreiben**

a) Suchen Sie
Informationen
über Frau Tscholl:

b) Warum
interessiert sie sich
für Märchen?
Trennen Sie
echte Informationen
von Vermutungen.

Universität Innsbruck
Institut für Vergleichende Literaturwissenschaft

Diplomarbeit

Eine Sammlung:

Mächtige Frauen
in Märchen
aus Ghana und Österreich

(komparatistischer Ansatz)

Karin Tscholl

Vorlesungsverzeichnis

7. Vergleichende Literaturwissenschaft

Poesie und Physis. Von den Sumerern bis zur
Gegenwart.   Blockseminar März
Schrott R.   Hörsaal 2

„Als Rapunzel auf Grimm traf." Frauenfiguren
im Märchen.   Mo 14.^{30} – 16.^{00}
Tscholl K.   Seminarraum 7

Literatur und Philosophie in der Moderne.
Swassjan K.   nach Vereinbarung

c) Welche Art von
Märchen fehlen
für *Sie*
im Programm
von „Frau Wolle"?

Hören Sie
das Interview
mit „Frau Wolle".
Überprüfen Sie
Ihre Vermutungen
und notieren Sie.

→Ü4 – Ü5

→Dossier

**Die alte Kunst des Märchenerzählens war einst eine
vergnügliche Unterhaltung für Erwachsene.**

**Ich nehme den Faden, der sich durch die Geschichte(n)
zieht, wieder auf und spinne ihn weiter.
Wundersame, erotische, spannende, bezaubernde und
lustige Geschichten können fesseln, zum Lachen bringen
und berühren:**

* **Märchen aus der Nähe und aus der Fremde,**
* **Märchen für 1001 Nacht,**
* **Märchen von starken Frauen und schönen Männern,**
* **Märchen voll Sehnsucht und Liebeslist,**
* **Märchen von Leben und Tod,**
* **Märchen von Arm und Reich,**
* **Märchen von weisen Königen und schlauen
  Untertanen – von Menschen, die sich wehren,**
* **Märchen von Verzauberung, Verwandlung und
  Erlösung**

**... und viele andere
Geschichten
erzählt euch mit Vergnügen
„Frau Wolle"
Mag. Karin Tscholl
Tel./Fax: 05 12/58 01 02**

2 Geschichten erzählen oder vorlesen?

 A5

Einer mündlichen Erzählung folgen

a) Lesen Sie den Anfang (Z. 1–31): Sammeln Sie Lösungen für die drei Rätsel.
b) Wie geht die Erzählung wohl weiter?
c) Hören Sie Teil 1: Beschreiben Sie die zwei Hauptpersonen.

➔Ü6 – Ü7

 A6

a) Hören Sie Teil 2 (Beschreibung des Khan): Notieren Sie seine Eigenschaften.
b) Sammeln Sie sprachliche Mittel für Beschreibung im Text (Z. 32–49):

• Adjektive
• Gegensätze
• Vergleiche

➔Ü8

 **A7**

Hören Sie Teil 3 (Darischmas Antwort, ab Z. 53) und vergleichen Sie mit Ihren Lösungen.

➔Ü9 – Ü10

ulabek war einst ein Schafhirte gewesen, aber dann wurde er zum Khan. Und er war ein guter Khan. Nur, eines Tages kamen
5 seine Berater zu ihm und sagten: „Khan Bulabek, du bist ein guter Khan, aber es gibt ein Problem." „Was ist es?", fragte der Khan. „Das Problem ist: Du hast keine Frau." Der Khan war nämlich ein so
10 schöner Mann, dass alle Frauen im ganzen Lande, unverheiratete und auch die, die bereits einen Mann hatten, nur mehr noch von ihm träumten. „Gut", sagte der Khan, „lasst morgen alle Frauen, die mich haben
15 wollen, zum Palast kommen."
Und es kamen viele, viele Frauen. Der ganze Platz vor dem Palast war voll von Frauen, jung und alt, schön und hässlich, klug und dumm. Da trat der Khan auf den
20 Balkon, und er schluckte, denn es waren so viele Frauen! Und er sprach: „Es freut mich, dass so viele gekommen sind. Von euch allen will ich diejenige heiraten, die wahrhaft weise ist. Und deshalb stelle ich
25 euch drei Rätsel und gebe euch drei Tage Zeit, sie zu lösen. Sagt mir: „Was ist die Entfernung von Osten nach Westen? Was ist die Entfernung zwischen Himmel und Erde? Und was ist die Entfernung
30 zwischen Lüge und Wahrheit?"
Und damit ging er wieder hinein.

Aber nun, da ich immer erwähnt habe, wie schön der Khan war, will ich euch sagen, wie schön er wirklich war: Er war groß, er hatte lange, gerade Beine mit 35 Haaren, aber nicht zu vielen Haaren, und am Ende seiner langen geraden Beine, da hatte er einen knackigen Reiterhintern. Er hatte schmale, aber nicht zu schmale Hüften und breite, aber nicht zu breite 40 Schultern. Er hatte wunderbar zärtliche Hände, er hatte Haare bis zur Hüfte, blond; und er trug sie, wie für den Khan üblich, in einem hohen Rossschwanz auf dem Kopf. Er hatte allerliebste, eng 45 anliegende, kleine, wohlgeformte Ohren, und so lange Wimpern, die seine Augen umgaben wie die Strahlen der Sonne die Sonne selbst.

Und so trat Darischma in den Kreis, als sie 50 die drei Rätsel gehört hatte, und sagte: „Ich weiß die Antwort auf deine drei Rätsel." Und sie sprach:

Die kluge Bauerntochter

(Nach Jacob und Wilhelm Grimm)

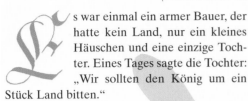s war einmal ein armer Bauer, der hatte kein Land, nur ein kleines Häuschen und eine einzige Tochter. Eines Tages sagte die Tochter:

5 „Wir sollten den König um ein Stück Land bitten."

Als der König von ihrer Armut hörte, schenkte er ihnen ein kleines Stückchen Land, und das gruben der Bauer und seine Tochter um und 10 wollten Getreide darauf anbauen. Da fanden sie in der Erde einen großen Mörser aus purem Gold.

„Hör zu", sagte der Vater zu dem Mädchen, „weil unser König so gnädig gewesen ist und uns 15 diesen Acker geschenkt hat, so müssen wir ihm den Mörser dafür geben." Die Tochter aber war nicht einverstanden und sagte: „Vater, wenn wir zwar den Mörser haben, aber nicht den Stößel dazu, dann müssen wir sicher auch den Stößel 20 herbeischaffen. Darum schweig lieber!"

Der Bauer wollte aber nicht auf seine Tochter hören. Er nahm den Mörser, trug ihn zum König und sagte, den hätte er auf seinem Stückchen Land im Boden gefunden, und ob der König ihn 25 als Zeichen seiner Verehrung annehmen wollte. Der König nahm den Mörser und fragte, ob er denn sonst nichts gefunden hätte. „Nein", antwortete der Bauer.

Da sagte der König, er solle nun auch den Stößel 30 herbeischaffen. Der Bauer entgegnete, den habe er nicht gefunden. Aber das half ihm so viel, als hätte er's in den Wind gesprochen. Er wurde ins Gefängnis gebracht und sollte so lange da sitzen, bis er den Stößel herbeigeschafft hätte.

Die Diener des Königs mussten dem Bauern 35 täglich Wasser und Brot bringen. Und immer, wenn sie zu ihm kamen, schrie der Mann: „Ach, hätt' ich meiner Tochter nur geglaubt! Ach, hätt' ich ihr geglaubt!"

Da gingen die Diener zum König und erzählten, 40 wie der Gefangene in einem fort schrie. „Ach, hätt' ich meiner Tochter nur geglaubt!" und nicht essen und trinken wollte.

Da befahl der König den Dienern, den Gefangenen zu ihm zu bringen. Er fragte den Bauern, 45 warum er immer schreie „Ach, hätt' ich meiner Tochter nur geglaubt!", und was seine Tochter denn gesagt habe.

„Sie hat gesagt, ich sollte den Mörser nicht bringen, sonst müsste ich auch den Stößel 50 herbeischaffen."

„Wenn ihr eine so kluge Tochter habt, dann lasst sie herkommen."

Also musste die Tochter zum König kommen. Der fragte sie, ob sie denn wirklich so klug sei, 55 und sagte, er wolle ihr ein Rätsel aufgeben; und wenn sie das lösen könne, dann wolle er sie heiraten. Da sagte sie gleich ja, sie wolle das Rätsel lösen.

---

①

Brüder Grimm (Jacob Grimm 1785–1863, Wilhelm Grimm 1786–1859), Politiker, Juristen und Sprachwissenschaftler. Sie sammelten und bearbeiteten Märchen, die sie sich erzählen ließen. Märchen waren für sie „Denkmäler des deutschen Geistes". In ihrer Bearbeitung legten sie Wert darauf, „jeden für das Kindesalter nicht passenden Ausdruck sorgfältig zu löschen".

②

„Deutsche Märchen gibt es nicht. Jedes einzelne Märchen gehört zu einem internationalen Erzählschatz, wie seine vielen Varianten zeigen. Diese Varianten gibt es in einem Raum, der weit über Europa hinausreicht. Viele dieser ‚Volksmärchen' haben ähnliche Motive und eine ähnliche Abfolge der Geschichte."

(Karin Tscholl)

Jacob und Wilhelm Grimm
(Radierung von Ludwig Emil Grimm, 1843)

A8

Märchen lesen und analysieren

a) Lesen Sie das Märchen vor: wie klingt die Sprache?
b) Beschreiben Sie die Eigenschaften von König, Bauer und Bauerntochter.
c) Skizzieren Sie einen möglichen weiteren Verlauf der Geschichte und vergleichen Sie.

→Ü11 – Ü13

A9

Sammeln Sie Geschichten mit ähnlichen Motiven wie „Khan Bulabek" und „Die kluge Bauerntochter."

· die Figuren
· der Weg
· die Drohung
· das Ziel

A10

a) Lesen Sie die Texte ① und ②: Wo gibt es Gegensätze?
b) Hören Sie ein Interview mit „Frau Wolle": Warum erzählt sie kaum *deutsche* Märchen?

→Ü14 – Ü18
→Dossier

3 Märchenfiguren

A11

Alte und neue Märchen vergleichen

a) Welche der vier Figuren oder Personen ist für Sie am märchenhaftesten? Begründen Sie.
b) Erfinden *Sie* ein Märchen: Machen Sie ein Diagramm für den Handlungsablauf. Notieren Sie die wichtigsten Stellen des Textes wörtlich.

→Ü19

A12

Beschreiben Sie die märchenhaften Eigenschaften oder die märchenhafte Geschichte einer bekannten Figur oder echten Person. Die anderen raten.

→Ü20 – Ü21

→Dossier

Anansi

Märchenfigur aus Ghana

Aussehen: wie eine Spinne, mit Menschenkopf und dickem Bauch

Populärer „Held" vieler Märchen; ein ideenreicher und listiger Charakter, der zu seinem Nutzen raffinierte Pläne schmiedet und die anderen Bewohner – sogar den großen Geist und Herrscher – überlistet. Der geschickte Betrüger schadet sich manchmal auch selbst, vor allem in seiner Gier nach Essen; oder er wird bestraft.
Er fliegt wie Ikarus und stürzt ab. Oder er gibt sich listige Namen wie Odysseus.

Yoko Tsuno

Jugendliche Comic-Heldin aus Japan

Aussehen: schlankes Teenager-Mädchen mit halblangen schwarzen Haaren und feinem Gesicht; trägt legere Freizeitkleider, traditionelle Kimonos oder Raumanzüge, je nach Situation

„Gute Heldin" mit kleinen menschlichen Schwächen, die mit ihren Freunden alles riskiert und viele Abenteuer erlebt – auf, über oder unter der Erde und im Weltall. Besonders gefährlich wird es, als sie mit ihrer Freundin Khany zu deren Heimatplanet Vinea reist. Aber Yoko kennt alle Tricks, die zum Erfolg führen.

Arnold Schwarzenegger

Hollywood-Star und Geschäftsmann

Aussehen: kraftvoll, dynamisch, mit viel Muskeln

Es war einmal ein schmächtiger junger Bursche aus Graz, der unbedingt nach oben wollte. Er trainierte im Fitnesscenter, bis er als Bodybuilder der Beste war. Dann zog er nach Kalifornien, wurde Schauspieler und heiratete eine Tochter aus dem mächtigen Kennedy-Clan. Später spielte der Star der Action-Filme auch in Komödien mit. Sein Geld investiert er in Immobilien und Kunst. Er engagiert sich auch für den Behindertensport.

Diana

Prinzessin von Wales, Märchenprinzessin

Aussehen: blond, blauäugig; Kleider von den besten Mode-Designern der Welt entworfen

Zuerst war sie Kindergärtnerin, dann heiratete sie einen echten Prinzen und wurde weltweit berühmt. Dann kam, was es in keinem Märchen gibt: Prinz und Prinzessin ließen sich scheiden. Sie verliebte sich in einen Millionär und wollte ohne Fotografen mit diesem allein sein. Da passierte ein Unfall, bei dem beide starben. Und weil sie so früh und unerwartet gestorben ist, lebt Diana heute noch – als letzte Märchenprinzessin.

Auftrag 2 Inszenieren Sie in Ihrem Kurs eine „Erzählstunde" mit Ihren Märchen.
Teilen Sie die Vorbereitungen auf:
- Programm und Ablauf planen,
- Raum einrichten und dekorieren,
- Dokumentation für eine Kurs-Zeitung oder ein Kurs-Video machen.

4 Aussprache: vorlesen, erzählen

 ①  ②  ③  ④  ⑤  ⑥

Ich saß einmal allein im Biergarten und trank in Ruhe mein Bier. Am Nachbartisch sprachen die Eltern mit ihrem Kind: „Jetzt sitz doch mal ruhig!" – „Halt die Beine still!" – „Pass auf, wenn du trinkst!" – „Man schaut die anderen Leute nicht so an!" Das Kind stellte pausenlos Fragen: „Was ist das in der Ecke?" – „Wann bekomme ich was zu essen?" – „Krieg ich nachher ein Eis?" – „Gehen wir dann in den Zoo?" Schließlich sagte die Mutter: „Jetzt halt mal bitte den Mund! Du redest ja wie ein Wasserfall! Was sollen die Leute von dir denken? Wenn du jetzt nicht aufhörst, bekommst du kein Eis!"

Vorlesen ist eine Inszenierung. **Bereiten Sie sich darum gründlich vor:**	**So verhalten Sie sich beim Vorlesen:**
1. Prüfen Sie die Stimmungen im Text. 2. Geben Sie in Dialogen jeder Person eine eigene Stimme. 3. Lesen Sie den Text mehrfach halblaut, dabei markieren Sie **Pausen:** / **Atempausen:** // ⋀ **Stimmführung:** ⤴ → ⤵ 4. Schauen Sie bei Akzentwörtern das Publikum (in Ihrer Vorstellung) an.	1. Beginn: Atmen Sie aus und schauen Sie dabei Ihr Publikum an. 2. Überfliegen Sie beim Einatmen den ersten Satz bis zur Pause. 3. Fangen Sie mit dem Ausatmen an zu sprechen. 4. Betonen Sie die Akzentwörter deutlich. Schauen Sie dabei Ihr Publikum an. 5. Machen Sie Pausen: Lassen Sie sich und Ihrem Publikum Zeit zum Mitdenken.

1. Ein ganz kleines Tierchen … **A**
2. Komm mal her!
3. Jetzt ist es doch passiert!
4. Da oben fliegt …
5. Da unten sitzt …
6. Keine Ahnung!
7. Der hohe Berg …
8. … ein großer roter Ballon …
9. … im weiten Tal …
10. Horch, es klopft!

B **C**

A13

Vorlesen inszenieren

a) Spielen Sie ① – ⑥. Welche Stimmungen empfinden Sie?
b) Ordnen Sie Bilder und Hörtexte zu.
c) Sprechen Sie die Hörtexte nach.

A14

a) Hören Sie den Text in 2 Varianten: Notieren Sie Unterschiede.
b) Inszenieren Sie den Text zum Vorlesen:
Kind glücklich, Eltern ärgerlich.

→Ü22 – Ü23

A15

Hören Sie und atmen Sie.

78

A16

Erzählen inszenieren

a) Welche Äußerungen passen zu den Foto-Gesten?
b) Sprechen Sie alle Äußerungen mit eigenen Gesten.

→Ü24 – Ü26

 A17

→Ü21

5 Wortschatz

„Musik, Theater, Literatur und Film":
Wörter ordnen

Lesen Sie die Bilder/Texte ①–③ und ordnen Sie die Wörter aus der Wort-Kiste zu:

Musik:
Theater:
Literatur:
Film:

der Krimi/Kriminalroman   die Band/Gruppe   der Musiker / die Musikerin
die Geschichte   die Literatur   das Gedicht   der Tanz   der Stoff   der Star   der Comic
der Film   der Roman   Musik machen   die Bühne   die Vorstellung   das Publikum
tanzen   das Theater   die Rolle   die Stimme   produzieren   der Künstler / die Künstlerin
spielen   das Instrument   der Sänger / die Sängerin   singen   das Musikstück
das Lied   der Song   das Konzert   der Autor / die Autorin   anschauen
erfinden   der Text   Musik hören   lesen   das Stück   erzählen
aufschreiben   die Spannung   spannend

① Erinnerungen an 50 Jahre Jazz enthält die Doppel-CD „Double" von Coco Schumann. Der Musiker (Gitarre, Schlagzeug) spielte mit vielen Jazz-Größen seiner Zeit zusammen und überlebte als Mitglied der „Ghetto-Swingers" das KZ Theresienstadt. „Musik war meine Chance, und ich habe sie genutzt", sagt Schumann im Rückblick auf sein Leben.

② „Endlich Schluss" – ein Meisterstück von Autor (Turrini), Regisseur (Peymann) und Schauspieler (Voss). Ein Mann ist fertig, mit sich und der Welt. Doch bevor er den Revolver tatsächlich abdrückt, lässt er noch einmal den Film seines Lebens ablaufen. Noch nie hat jemand so genial und so spannend bis 1000 gezählt wie Gert Voss.

③ Der Herausgeber Karl-Markus Gauß stellt Erzählungen von Autoren aus einem nahen und doch so fernen Europa vor, aus den sogenannten östlichen Nachbarländern. Der treffende Titel: „Das Buch der Ränder". Die einzelnen Beiträge geben Auskunft über individuelle Eigenart und kulturelle Buntheit, über Momente der europäischen Geschichte.

SPIELPLAN JÄNNER
AKADEMIETHEATER

Donnerstag **1** 19.30–22.10 Uhr, Wahlabo, freier Verkauf
Amphitryon von Heinrich von Kleist
Leitung: Neuenfels, Schmidt, Merz, Koch
Mit: A. Bennent, Hübchen; D. Bennent, Bluhm, Braunshör, H.-J. Wagner, Wieland

Freitag **2** 19.30–21.00 Uhr, Abo 8, Wahlabo, eingeschränkter Verkauf
Endlich Schluß von Peter Turrini
Leitung: Peymann, Herrmann
Mit: Gert Voss

Signetfoto: Eva Horvath

 A18

Gefallen und Nicht-Gefallen ausdrücken

a) Welche Sätze hören Sie? Lesen Sie mit und notieren Sie.
b) Musik, Buch, Theaterstück, Film: Was hat *Sie* am meisten fasziniert/ enttäuscht? Begründen Sie.

A

1. Mensch, war das aufregend!
2. Der Film ist so spannend.
3. Den Film musst du unbedingt anschauen!
4. Das hat einfach Spaß gemacht.
5. Ich hab mich echt toll unterhalten.
6. Das war wirklich eine gute Idee.
7. Mir war's keine Minute langweilig!
8. Den Film kann ich dir absolut empfehlen.
9. Ich hab mich köstlich amüsiert.
10. Dieses Bild werde ich nie vergessen!

B

1. Ich bin total enttäuscht!
2. Ich hab mich wahnsinnig gelangweilt.
3. Das kann ich dir wirklich nicht empfehlen!
4. Es hat überhaupt keinen Spaß gemacht.
5. Das kannst du glatt vergessen!
6. Wie kann das den Leuten nur gefallen?
7. Eigentlich geh ich so gern ins Kino....
8. Dabei war ich so neugierig auf die Musik!
9. So einen Mist muss man sich gefallen lassen!
10. Das ist doch ein kompletter Unsinn!

6 Grammatik

Ausdruck von Modalität: Übersicht

Vermutlich/Wahrscheinlich gefiel Darischma dem Khan. Darischma gefiel dem Khan **wohl**. Darischma **wird** dem Khan **(wohl) gefallen**. Die Erzählerin **vermutet, dass** Darischma dem Khan gefiel. Es **ist wahrscheinlich, dass** Darischma dem Khan gefiel.	vermutlich, wahrscheinlich wohl FUTUR I (+ wohl) vermuten, dass … wahrscheinlich sein, dass …	Vermutung/ Wahrschein- lichkeit
Darischma **schien** dem Khan **zu** gefallen. **Anscheinend** gefiel Darischma dem Khan. **Scheinbar** konnte keine Frau das Rätsel lösen. Es **sah so aus, als ob** keine Frau das Rätsel lösen könnte.	scheinen … zu … anscheinend scheinbar so aussehen, als ob …	Anschein
Darischma **kann/könnte** dem Khan **gefallen (haben)**. Es **kann/könnte sein, dass** Darischma dem Khan gefiel. **Möglicherweise/Vielleicht** gefiel Darischma dem Khan. Es **ist** (schon) **möglich, dass** Darischma dem Khan gefiel.	können + INFINITIV sein können, dass … möglicherweise, vielleicht möglich sein, dass …	Möglichkeit
Die Rätsel **müssen** (unbedingt) **gelöst werden**. Zunächst **sind** die Rätsel **zu lösen**. Wer den Khan heiraten will, **hat** die Rätsel **zu lösen**. Es **ist notwendig/nötig**, die Rätsel **zu** lösen.	müssen + INFINITIV sein zu + INFINITIV haben zu + INFINITIV notwendig/nötig sein, … zu …	Notwendig- keit/Zwang
Nur Darischma **konnte** die Rätsel **lösen**. Niemand **war fähig**, die Rätsel **zu** lösen. Nur Darischma **war in der Lage**, die Rätsel **zu** lösen.	können + INFINITIV fähig sein, … zu … in der Lage sein, … zu …	Fähigkeit
Der Vater sagte zu seiner Tochter: „Ich **möchte** dem König den Mörser **bringen**." „Ich **will** dem König den Mörser **bringen**." „Ich **beabsichtige**, dem König den Mörser **zu** bringen." „(Und) Ich **werde** dem König den Mörser **bringen**!"	möcht- + INFINITIV wollen + INFINITIV beabsichtigen, … zu … FUTUR I	Absicht/ Wille
„Hier **dürfen** Sie (nicht) **rauchen**." „Hier **können** Sie ruhig **rauchen**." „Das Rauchen **ist** sofort **einzustellen**." „Sie **haben** das Rauchen sofort **einzustellen**." „Du **wirst** sofort mit dem Rauchen **aufhören**!" „Hier ist es **(nicht) erlaubt/verboten zu** rauchen." „Ich **verbiete** Ihnen, hier **zu** rauchen." „Wer hat Ihnen **erlaubt**, hier **zu** rauchen?"	(nicht) dürfen + INFINITIV können + INFINITIV sein zu + INFINITIV haben zu + INFINITIV FUTUR I (nicht) erlaubt/verboten sein, … zu … verbieten, … zu … erlauben, … zu …	Erlaubnis/ Verbot
Die Tochter sagte: „Du **solltest** das nicht **tun**." „Ich an deiner Stelle **würde** das nicht **tun**." „Ich kann dir nur **raten**, das nicht **zu** tun."	sollen (Konj. II) + INFINITIV KONJUNKTIV II raten, … zu …	Rat
Der Bauer **soll** seine Tochter **holen**. Der König **beauftragt** den Bauern, seine Tochter **zu** holen. „**Bring(t)** auch den Stößel **her**!" „Ihr **werdet** sofort den Stößel **herbringen**!" Der König **befiehlt** dem Bauern, den Stößel her**zu**bringen.	sollen + INFINITIV beauftragen, … zu … IMPERATIV FUTUR I befehlen, … zu …	Auftrag/ Befehl

→K21
→Ü14

Konjunktiv II (2): Plusquamperfekt

INFINITIV: PLUSQUAM- PERFEKT:	gelebt haben (er) hatte gelebt	gegangen sein (er) war gegangen	gefunden worden sein (er) war gefunden worden
KONJUNKTIV II: AKTIV			PASSIV

ich	hätt- **e**	gelebt	wär- **e**	gegangen	wär- **e**	gefunden worden
du	hätt- **est**	gelebt	wär- **(e)st**	gegangen	wär- **(e)st**	gefunden worden
er/es/sie	hätt- **e**	gelebt	wär- **e**	gegangen	wär- **e**	gefunden worden
wir	hätt- **en**	gelebt	wär- **en**	gegangen	wär- **en**	gefunden worden
ihr	hätt- **et**	gelebt	wär- **(e)t**	gegangen	wär- **(e)t**	gefunden worden
sie/Sie	hätt- **en**	gelebt	wär- **en**	gegangen	wär- **en**	gefunden worden

☞ Das **Hilfsverb** („haben", „sein") steht **im Konjunktiv II**.

→Ü17 – Ü18

Hauptsatz und Nebensatz (10):
Konditionalsatz mit irrealer Bedingung (Vergangenheit)

| **Wenn** | er nicht zum König **gegangen wäre,** | **wäre** er nicht ins Gefängnis **gekommen.** |
| **Wenn** | sie das Rätsel nicht **gelöst hätte,** | **hätte** sie nicht Königin **werden können.** |

> **„wenn"** + IRREALE BEDINGUNG ——→ IRREALE FOLGE
> (bezogen auf die Vergangenheit)

Real: Der Vater **ist** zum König **gegangen,** also **ist** er ins Gefängnis **gekommen.**
Die Tochter **hat** das Rätsel **gelöst,** also **hat** sie Königin werden **können.**

Irrealer Wunschsatz: Gegenwart

Die Tochter denkt:

Wenn mein Vater doch (nur) meinem Rat **folgen würde!**

Würde mein Vater doch (nur) meinem Rat **folgen!**

> UNERFÜLLBARER WUNSCH:
> („**wenn**" +) KONJUNKTIV II
> (vom Präteritum)

Real: Ihr Vater **folgt** ihrem Rat nicht.

Irrealer Wunschsatz: Vergangenheit

Der Vater schreit:

Wenn ich meiner Tochter doch (nur) **geglaubt hätte!**

Hätte ich meiner Tochter doch (nur) **geglaubt!**

> UNERFÜLLTER WUNSCH:
> („**wenn**" +) KONJUNKTIV II
> (vom Plusquamperfekt)

Real: Er **hat** ihr nicht **geglaubt.**

→Ü16

Hauptsatz und Nebensatz (11): irrealer Vergleichssatz

| Frau Wolles Augen suchen Blickkontakt, | **als ob** | sie auf Antwort **warten würde.** |
| | **als** | **würde** sie auf Antwort **warten.** |

| Aber das half dem Bauern so viel, | **als ob** | er in den Wind **gesprochen hätte.** |
| | **als** | **hätte** er in den Wind **gesprochen.** |

Real:
Frau Wolle **wartet** nicht auf Antwort.
Er **hat** nicht in den Wind **gesprochen.**

> IRREALER VERGLEICH:
> „**als ob**" + FINITES VERB am Ende
> „**als**" + VERB auf Position 1

37

Konjunktiv I (2): Perfekt

→K29
→Ü14

INFINITIV: PERFEKT:	geschenkt haben (er) hat geschenkt		gewesen sein (er) ist gewesen		gefunden worden sein (er) ist gefunden worden	
KONJUNKTIV I: AKTIV					PASSIV	
ich du er/es/sie	hab-**e*** hab-**est** hab-**e**	geschenkt geschenkt geschenkt	**sei-–** **sei-(e)st** **sei-–**	gewesen gewesen gewesen	**sei-–** **sei-(e)st** **sei-–**	gefunden worden gefunden worden gefunden worden
wir ihr sie/Sie	hab-**en*** hab-**et** hab-**en***	geschenkt geschenkt geschenkt	**sei-en** **sei-et** **sei-en**	gewesen gewesen gewesen	**sei-en** **sei-et** **sei-en**	gefunden worden gefunden worden gefunden worden

☞ • Das **Hilfsverb** („haben", „sein") steht **im Konjunktiv I.**
   • * Diese Konjunktiv-I-Formen werden **durch Konjunktiv-II-Formen mit „hätten"**
     ersetzt, weil sie mit den Perfekt-Indikativ-Formen identisch sind.

Aussagen wiedergeben (2): Redewiedergabe

→K29
→Ü15

Direkte Rede:

Der Bauer ging zum König und sagte:
„Den Mörser **habe** ich auf meinem kleinen
Stückchen Land **gefunden**."
Er fragte: „**Willst** du ihn nicht als Zeichen
meiner Verehrung **annehmen**?"
Der König fragte: „Wo **ist** der Stößel?"
Er befahl: „**Bring** mir auch den Stößel!"

Indirekte Rede:

Der Bauer sagte,
den Mörser **habe** er auf seinem kleinen
Stückchen Land **gefunden**.
Er fragte, ob er ihn nicht als Zeichen
seiner Verehrung **annehmen wolle**.
Der König fragte, wo der Stößel **sei**.
Er befahl, er **solle** ihm auch den Stößel **bringen**.

DIREKTE REDE:	INDIREKTE REDE:
INDIKATIV PRÄSENS	→ KONJUNKTIV I (vom Präsens)
INDIKATIV PERFEKT/PRÄTERITUM	→ KONJUNKTIV I (vom Perfekt)
IMPERATIV	→ **„soll-"** (KONJUNKTIV I oder II) + INFINITIV

Redewiedergabe mit „wollen" und „sollen"

a) Direkte Rede

Der Bauer (A) sagt zum König (B): „Den Mörser **habe** ich auf meinem Land **gefunden**."

b) Redewiedergabe mit „wollen"

Der König (B) informiert den Minister (C)
über das, was der Bauer (A) gesagt hat.
B bezweifelt, was A gesagt hat:

„Der Bauer **will** den Stößel auf seinem
Land nicht **gefunden haben**."

„wollen" + INFINITIV PERFEKT

b) Redewiedergabe mit „sollen"

Der Minister (C) berichtet Kollegen (D), was er
vom König (B) über den Bauern (A) gehört hat:
C betont, dass er die Information von B hat:

„Der Bauer **soll** den Stößel auf seinem
Land nicht **gefunden haben**."

„sollen" + INFINITIV PERFEKT

1 „Ein Nashorn will die Welt verändern"

A1

Ein Bild interpretieren

a) Schauen Sie das Bild an. Beschreiben Sie die Welt aus der Sicht des jungen Nashorns: Was mag es wohl, was nicht?
b) Diskutieren Sie mögliche Gründe.

→Ü1

A2

Begriffe ordnen

a) Lesen Sie die Fabel bis Zeile 34: Was tut das Nashorn, um die Welt zu verändern? Sammeln Sie.
b) Suchen Sie im Text Ausdrücke, die in das „Freund-Feind-Schema" des Nashorns passen:

Freund:
Feind:

→Ü2 – Ü4

Christoph Bauer, 1956 in Luzern geboren, schrieb seinen ersten Roman *Ekstase* im Alter von 19 Jahren. Seither ist er bekannt für „radikale Prosa". 1990 veröffentlichte er die *Volkstümliche Enzyklopädie alltäglicher Widerlichkeiten*, 1993 *Amoralische Fabeln* und 1994 *Mikromelodramen*. Christoph Bauer lebt als Schriftsteller und Buchhändler in Fribourg/ Freiburg (Schweiz).

Ein Nashorn will die Welt verändern. Es ist noch jung, denkt „Schule, Arbeit, Tod, dies kann doch unmöglich alles sein". Es fühlt sich voller Liebe, Anarchie, Sehnsucht nach
5 Glück und fordert Arbeit, Brot und Spaß für alle. Das junge Nashorn trifft sich mit Gleichgesinnten, diskutiert ganze Nächte lang. Allen ist klar: Da muss was geschehen! Spontane Aktionen werden inszeniert, die
10 auch schon mal zu Auseinandersetzungen mit der Polizei führen. Für das Nashorn sind die Feinde klar erkennbar: die Hüter der Ordnung, die Verächter jeglicher Veränderung. Bald sieht es sich von lauter „Schwei-
15 nen" umzingelt. Die Welt ist schlecht, und die Wut des Nashorns wächst. Auf einem Fest hat das Nashorn einen gewaltigen Rausch, beschimpft sämtliche Anwesende als Langweiler und Spießer und fordert den
20 totalen Umsturz, die Revolution.
…
Ein paar Jahre später fragt sich das Nashorn: „Was sind spontane Aktionen, Subkultur und wilde Partys, all diese Kindereien, diese Randerscheinungen einer zunehmend
25 schlechter werdenden Welt? Jetzt muss was passieren!" Es entschließt sich, seriös zu werden, einer Partei beizutreten und der Menschheit tatkräftig zu helfen.
…
Es folgen Wahlen, und die kleine Partei des
30 Nashorns geht leer aus. Seine Kolleginnen und Kollegen sagen: „Die Zeit ist wohl noch nicht reif." Doch das Nashorn fühlt Ungeduld. „Wann soll unsere Zeit sein, wenn nicht jetzt?" denkt es voller Tatendrang. …

A3

Eine Geschichte erzählen

a) Schauen Sie das Bild an: Wie geht die Geschichte wohl weiter? Erzählen Sie.

35 Vor den nächsten Wahlen wechselt das Nashorn von der kleinen Partei zur Mehrheitspartei. Es trägt nun eine Brille, ab und zu auch mal eine Krawatte, einen Aktenkoffer mit Stapeln von Papieren. Es ist Tag und
40 Nacht beschäftigt, immer erreichbar, zwar noch ein Freund der Veränderung, aber gemäßigt, der Mehrheit verpflichtet, welche ihm diese seine Haltung mittels Stimmen dankt. Das Nashorn steigt von der regiona-
45 len in die nationale Ebene der Politik auf und fährt mit dem Zug, noch immer ökologisch, in die Hauptstadt. Sein Platz ist gleich links von der Mitte des großen Parlamentssaales, wo all die großen Tiere des Landes
50 im Halbkreis sitzen und gemäß dem Auftrag des Volkes die Geschicke des Landes lenken.
…
Das Nashorn hat keine Zeit für irgendetwas und muss trotzdem immer irgendwohin,
55 stets lächeln, präsent sein, mal im TV an

einer Talkshow teilnehmen, dem Radio ein Interview geben, eine Pressekonferenz veranstalten, da und dort eine Rede halten und natürlich immer neue Papiere verfassen,
60 Papiere, die dann auf einem Schreibtisch landen.
…
Und so brüten all diese hohen Tiere bis tief in die Nacht über solch angeblich weltbewegenden Papieren, bis sie vor lauter Papieren
65 die ganz normale Tierwelt nicht mehr sehen. Dabei wird die Haut des Nashorns dicker und dicker.
…
Eines Tages sitzt dem „Nashorn senior" sein eigener Sohn, das „Nashorn junior"
70 gegenüber. Feindselig blickt ihn ein trotziges, kleines Nashorn an, das ihn verachtet, vom Leben definitiv mehr erwartet als „Schule, Arbeit, Tod" und erfüllt ist von Liebe, Anarchie und Sehnsucht nach Glück.
…

b) Lesen Sie die Fortsetzung und vergleichen Sie mit *Ihrer* Geschichte.

→Ü5 – Ü6

A4

a) Wie geht die Geschichte wohl zu Ende? Schreiben Sie zu zweit einen Schluss. Lesen Sie vor.
b) Hören Sie den Schluss der Fabel von Christoph Bauer. Vergleichen und diskutieren Sie.

→Ü7 – Ü9

Auftrag 1 Zeichnen Sie allein oder zu zweit ein Bild (mit Tieren) über die politische Situation in Ihrem oder einem anderen Land. Stellen Sie Ihr Bild vor und beantworten Sie anschließend Fragen.

Auftrag 2 Erarbeiten Sie in Gruppen eine kurze Fabel zur Politik in einem „Traumland".

2 Deutschland zwischen Ost und West

 A5

Assoziationen zu Abbildungen formulieren

a) Schauen Sie die Abbildungen ① bis ⑥ an: Was kommt Ihnen in den Sinn?
b) Gibt es „ähnliche Bilder" in *Ihrer* Biografie? Erzählen Sie.

→Ü10

 **A6**

Historische Prozesse vergleichen

Lesen Sie den Text. Erarbeiten Sie parallel dazu die Geschichte *Ihrer* Familie:

→Ü11 – Ü15

Die Angst vor Deutschland nach 1945

Am 8./9. Mai 1945 kapitulieren die deutschen Truppen. Der Krieg, den das nationalsozialistische Deutschland am
5 1. September 1939 begonnen hatte, ist zu Ende. Die Alliierten – die USA, Großbritannien, Frankreich und die Sowjetunion – teilen Deutschland in vier Besatzungszonen, die Hauptstadt Berlin in vier Sektoren. Ziel
10 dieser Maßnahmen ist es vor allem zu erreichen, dass Deutschland nie wieder einen Krieg beginnen kann.

Der „Kalte Krieg"

Die ideologischen, politischen und wirtschaft-
15 lichen Gegensätze zwischen den Westalliierten und der Sowjetunion sind groß und nehmen zu. Dadurch beginnt die Integration der Westzonen in die westliche Staatengemeinschaft und die Anbindung der Ostzone an
20 die Sowjetunion. Dieser „Kalte Krieg" spaltet Europa in Ost und West. Die Konfrontationslinie zwischen beiden Machtblöcken verläuft quer durch Deutschland und durch Berlin.

Zwei deutsche Staaten

25 Die immer stärker werdende Konfrontation zwischen Ost und West führt im Juni 1948 zur Blockade Westberlins durch die Sowjetunion. Während der einjährigen Blockade wird die Bevölkerung Westberlins auf dem
30 Luftweg versorgt. Eine Konsequenz dieser Entwicklung ist die Gründung von zwei deutschen Staaten:
• die BRD auf dem Gebiet der Westzonen mit Bonn als Hauptstadt (am 23.5.1949);
35 • die DDR auf dem Gebiet der Ostzone mit Ost-Berlin als Hauptstadt (am 7.10.1949).

Der Bau der Mauer

Aus Unzufriedenheit mit den wirtschaftlichen und politischen Verhältnissen in der DDR
40 emigrieren seit der Gründung viele Menschen in die BRD. 1961 lässt daher die DDR-Führung mitten durch Berlin die Mauer als „Schutzwall gegen den Kapitalismus" bauen. Den Bewohnern Ostberlins und der
45 DDR ist es damit unmöglich, ohne Erlaubnis nach Westberlin oder in die BRD zu reisen.

Auftrag 3 Wie verlief die politische Entwicklung in Ihrem Land von 1945 bis 1989?
 – Bereiten Sie ein kurzes Referat vor.
 – Dokumentieren Sie die Referate in einer Kurs-Zeitung.

Der Fall der Mauer

In der Bevölkerung der DDR wächst Ende der
80er Jahre immer mehr die Unzufriedenheit,
50 und die Opposition formiert sich, vor allem
gegen
• den diktatorischen Führungsstil der Regierung,
• die schlechte wirtschaftliche Situation,
• die allein regierende Partei, die die
55 Öffnungspolitik Gorbatschows nicht
mitmachen will.
Nach der Massenflucht von DDR-Bürgern über
Ungarn und Massendemonstrationen in vielen
Städten der DDR wird am 9.11.1989 –
60 28 Jahre nach ihrem Bau – die Mauer geöffnet.
Das ist der Anfang vom Ende der DDR.

„Einheit" oder Balance zwischen West und Ost

Seit der „Vereinigung" Deutschlands (am
65 3.10.1990) und durch den Zusammenbruch
der kommunistischen Staaten in Europa sieht
sich die neue Bundesrepublik Deutschland vor
schwierige Aufgaben gestellt:
• Integration der neuen Bundesländer, Her-
70 stellung eines Gleichgewichts zwischen
Ost- und Westdeutschland, Bewältigung
der steigenden Arbeitslosigkeit in alten
und neuen Bundesländern;
• Erweiterung und Vertiefung der
75 Europäischen Union;
• Mitwirkung beim Aufbau einer globalen
neuen Friedens- und Sicherheitspolitik.
Ähnliche Probleme stellen sich auch für die
anderen Länder Europas.

80 Ja zu Deutschland – Ja zu Europa

Heute sagt eine Mehrheit der Deutschen zwar
Ja zur staatlichen Einheit. Aber die Ost- und
Westdeutschen beurteilen die Situation nicht
gleich. Nach einer Umfrage bei 18- bis
85 35-Jährigen aus dem Jahre 1997 sind 64%
der Westbürger zufrieden mit der Staatsform,
in der sie leben. Im Osten hingegen finden
sich nur noch 38% zufriedene Bürger und
Bürgerinnen. In den letzten Jahren hat sich ge-
90 zeigt, dass Fremdenfeindlichkeit und Rechts-
extremismus in Deutschland immer wieder ein
Thema sind. Dazu erklären 39% der Jugend-
lichen in der Umfrage, dass sie sich für die
Ausländerfeindlichkeit in Deutschland schä-
95 men. Und 37% aller Befragten sehen sich
eher als tolerante Weltbürger und Europäer
denn als Deutsche.

④

⑤

⑥

A7

Wie alt waren *Sie*
beim Fall der Mauer?
Wann und wie haben
Sie davon gehört
oder erfahren?

A8

**Politische
Landkarten
vergleichen**

Welches sind
die „neuen
Bundesländer"?
Suchen Sie auf den
Karten ① und ⑤.

A9

**Über Graffiti
sprechen**

a) Auf welche
Themen im Text
bezieht sich
das Graffito?
b) Gibt es bei *Ihnen*
Graffiti als Form
des Protestes?
Welche anderen
Protestformen
gibt es noch?

→Dossier

Auftrag 4 Wie ist die politische und wirtschaftliche Situation bei Ihnen im Moment?
Erzählen Sie oder schreiben Sie einen kurzen Beitrag für die Kurs-Zeitung.

3 „Heimat, wo ist dein Zuhause?"

 A10

Texte analysieren

Lesen Sie
die Biografie von
Katja Lange-Müller:
Aus welcher
Perspektive
schreibt sie wohl?

Katja Lange-Müller, 1951 in Ostberlin geboren, aufgewachsen in Berlin-Lichtenberg, gleich hinterm Hauptbahnhof. Von Beruf war sie zuerst Schriftsetzerin, dann Krankenschwester. Heute arbeitet sie als Schriftstellerin.
1984 Ausreise aus der damaligen DDR und Übersiedlung nach West-Berlin.
1996 erschien ihre Erzählung *Verfrühte Tierliebe*, die mit dem Alfred-Döblin-Preis ausgezeichnet wurde.
Katja Lange-Müller lebt in Berlin.

 **A11**

a) Überfliegen Sie
den Text von
Katja Lange-Müller.
Sehen Sie
eine Parallele
zum Bild unten?
b) Lesen Sie
zu zweit und fassen
Sie folgende
Textabschnitte
kurz zusammen:

Z. 1-4:	froh über
	2 D
Z. 5-20:	
Z. 21-30:	
Z. 31-38:	
Z. 38-51:	
Z. 52-64:	

→Ü16 – Ü21

„Wir lieben Deutschland so sehr, dass wir froh sind, dass es zwei davon gibt", hat der französische Schriftsteller François Mauriac einmal gesagt; vermutlich nur halb im Scherz.
5 Seit 1990 gibt es zumindest eines dieser Deutschländer oder Deutschlands, die Deutsche Demokratische Republik, nun nicht mehr. Nach einer massiven politischen und wirtschaftlichen Krise hat sich der Staat
10 DDR aufgelöst, nicht in Luft, sondern ordentlich, wie es nun mal deutsche Art ist. Sein Territorium wurde „Beitrittsgebiet", und seine von 16 Millionen Menschen bewohnten Regionen Thüringen, Sachsen,
15 Sachsen-Anhalt, Mecklenburg-Vorpommern und Brandenburg wurden die fünf „Neuen Länder" der nunmehr etwa 80 Millionen starken BRD: Bundesrepublik Deutschland. – Deutschland, so heißt es, ist vereinigt,
20 wiedervereinigt.
Was denn nun, fragen sich manche Nicht-Deutsche verwirrt, und manche verwirrte Deutsche auch, „vereinigt" oder „wieder-vereinigt"?
25 Gewiss, das Land war geteilt infolge des

zweiten Weltkriegs. Also ist es nun wieder vereinigt. Aber beide Deutschländer, die BRD und die DDR, hatte es ja vor dem zweiten Weltkrieg gar nicht gegeben. Also sind die
30 zwei Nachkriegs-Deutschlands jetzt vereinigt. Beides stimmt, und beides stimmt nur sachlich, nur staatsrechtlich. Denn vereinigt oder wiedervereinigt haben sich die in dem einen oder anderen Deutschland aufgewachsenen
35 Menschen, auch Ossis und Wessis genannt, noch längst nicht; und vielleicht ist „Vereinigung", mit oder ohne „wieder", auch ein viel zu intimer Begriff. Im November 1990 kam sie also tatsächlich, die Vereinigung, die Wie-
40 dervereinigung, und Kanzler Kohl kam auch, versprach, das Beitrittsgebiet in „blühende Landschaften" zu verwandeln und startete die Kampagne „Aufschwung Ost".
Einige Jahre ist das nun her, und der „Auf-
45 schwung Ost" startet noch immer, und die Landschaften welken dahin. Und alle Deutschen, und alle in Deutschland arbeitenden Nicht-Deutschen, zahlen Solidaritätssteuer für den wirtschaftlichen Aufbau der fünf
50 Neuen Bundesländer, aber immer mehr von ihnen verlieren ihre Arbeit.
Ernüchtert sind die ehemaligen BRD-Bürger, enttäuscht die ehemaligen DDR-Bürger. Nicht mehr zu Hause in ihrem größer gewor-
55 denen Land fühlen sich die ehemaligen BRD-Bürger, und heimatlos fühlen sich die ehemaligen DDR-Bürger. An einer Fried-hofsmauer im vereinten Berlin, der neuen Hauptstadt der neuen Bundesrepublik
60 Deutschland, steht seit ein paar Tagen in großen grünen Spray-Buchstaben eine für die neuen Gesamt-Deutschen wirklich ziemlich neue Frage:

Heimat, wo ist dein Zuhause?

Janusz Nowacki: Karikatur, 1996

4 „Typisch deutsch?"

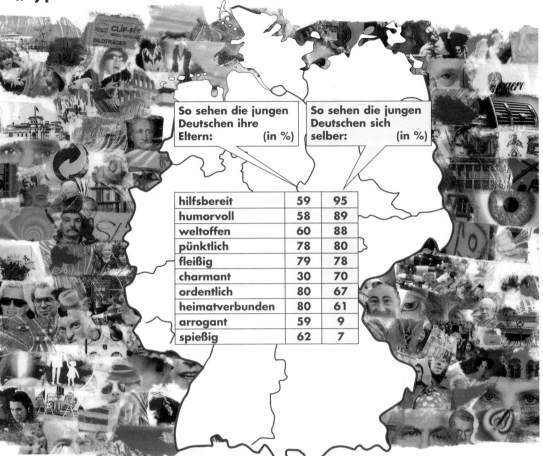

	So sehen die jungen Deutschen ihre Eltern: (in %)	So sehen die jungen Deutschen sich selber: (in %)
hilfsbereit	59	95
humorvoll	58	89
weltoffen	60	88
pünktlich	78	80
fleißig	79	78
charmant	30	70
ordentlich	80	67
heimatverbunden	80	61
arrogant	59	9
spießig	62	7

A12

Eine Statistik interpretieren

a) Lesen Sie die Statistik genau. Diskutieren Sie in Gruppen:
– Wie sehen die jungen Deutschen sich am liebsten?
– Wie möchten sie nicht sein?
– Bei welchen Adjektiven/ Eigenschaften sind die Zahlen ähnlich?
b) Wie sehen *Sie* die jungen Deutschen? Machen Sie eine Umfrage und eine Statistik.

c) Welche Informationen zur Statistik finden Sie im Text? Vergleichen Sie.

→Ü22

A13

Über Wertvorstellungen nachdenken

a) Welche positiven/negativen Vorstellungen gibt es über *Ihre* Landsleute?
b) Wie sehen *Sie* Ihre Landsleute? Erzählen *Sie*.

→Ü23 – Ü25

→Ü26

Im Bewusstsein der jungen Deutschen sind bestimmte Klischees vom „typischen Deutschen" positiv lebendig geblieben: Sie halten ihre Landsleute und Eltern, aber auch sich selber
5 für pünktlich (80%), fleißig (78%) und recht ordentlich (67%). Der/Die typische Deutsche mag Regeln und Normen; er/sie verkörpert gutes Ingenieurwesen und Qualitätsarbeit. Unbeliebte deutsche Eigenschaften werden
10 dagegen anderen unterstellt: Wer möchte gern spießig (7%) oder arrogant (9%) sein? Beim Bild des hässlichen Deutschen gibt es nur kleine Unterschiede zwischen Ossis und Wessis: Für die Westler ist er entweder groß-
15 kotzig oder ein kleinbürgerlicher Pedant und ängstlicher Biedermann ohne Visionen. Für die Ostler gibt es zwei ganz ähnliche Typen des hässlichen Deutschen: den spießigen Kleinbürger mit Schrebergarten und den prot-
20 zigen BMW-Fahrer, der nur ans Geld denkt und mit seinem Besitz prahlt. Nach einer Studie der Zeitschrift „Max" vom Oktober 1997 gilt für die junge Generation in Deutschland: „Typisch deutsch ist, nicht
25 typisch deutsch sein zu wollen." Darin sind sich Ossis und Wessis einig. Im Unterschied zu ihren älteren Landsleuten sehen sich die jungen Deutschen heute selber als hilfsbereit/ freundlich (95%), humorvoll (89%) und
30 weltoffen (88%). Sie sind auch weniger heimatverbunden als ihre Eltern, fühlen sich charmanter und legen Wert auf Toleranz gegenüber Minderheiten. Sie suchen nach Wegen, typisch deutsche Eigenschaften
35 für neue Ziele zu nutzen, zum Beispiel für den Umweltschutz. Die junge Generation in Deutschland will sich und damit das Image der Deutschen bessern: „Die Deutschen sind gar nicht solche Idioten", sagt die Ostber-
40 linerin Jana (24), „sie haben sich geändert."

Auftrag 5 Gibt es zwischen Alt und Jung unterschiedliche Wertvorstellungen bei Ihnen?
– Erklären Sie Unterschiede mit Hilfe einer Liste von Adjektiven (ähnlich A12).
– Erzählen Sie oder schreiben Sie dazu einen kurzen Beitrag für die Kurs-Zeitung.

 A14

5 Wortschatz

Wort-Gruppen: „Politik"

Lesen Sie den Text: Notieren Sie zu jedem Tier politische Begriffe.

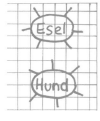

Es war einmal ein Esel. Er war ein Kind der bürgerlichen Mitte und vertraute auf Parlamentarier und die Demokratie. Nachdem er sein Leben lang gegen Krieg
5 und Gewalt gekämpft hatte, beschloss er, nach Bremen zu gehen. Er hatte nämlich in der Zeitung gelesen, dass dort die politische und wirtschaftliche Situation viel besser sei als anderswo.
10 Auf dem Weg nach Bremen traf er einen Hund. Der war immer ein treuer und gehorsamer Diener der Mächtigen in seiner Partei gewesen, hatte immer für Ruhe und Disziplin gesorgt, aber die Drogenpolitik
15 in seinem Land war ihm zu liberal. Daher ging er mit dem Esel weiter.
Da sahen die beiden eine Katze am Wegesrand sitzen. Sie hatte eine revolutionäre Vergangenheit, hatte Gleichberechtigung

20 und Bildung für alle gefordert und gegen die Macht des Militärs gekämpft. Weil sie wegen einer unerlaubten Demonstration ins Gefängnis gehen sollte, wollte sie fliehen. Sie überlegte nicht lange und ging mit
25 den beiden weiter.
Kurz danach trafen die drei einen Hahn. Der liebte seine Heimat sehr und hatte darum sein Leben lang für traditionelle Werte und nationale Interessen gekämpft.
30 Weil er rechtsextremen, faschistischen Gruppen angehörte, bekam er Probleme mit der Polizei und wollte untertauchen. Also machten sie sich gemeinsam auf den Weg nach Bremen, um dort Stadtmusikan-
35 ten zu werden. Als sie auf dem Marktplatz in Bremen ankamen, war dort gerade eine politische Demonstration, bei der viele Reden gehalten wurden …

 A15

a) Welche zwei Wort-Gruppen von ① – ⑧ passen zu welchem Tier?
b) Hören Sie Teile von vier Reden: Welche Rede gefällt wohl welchem Tier am besten?
c) Hören Sie die Reden noch einmal. Machen Sie Notizen: Welche Rede gefällt *Ihnen* gar nicht?

1. kämpft für:
nationale Interessen
traditionelle Werte
eine stärkere Armee

2. glaubt an:
Gesetze und Vorschriften
Sicherheit und Ordnung
Pflichten der Bürger

3. fordert:
Gleichberechtigung für alle
das Recht auf Demonstration
die Integration von Flüchtlingen

4. vertraut auf:
Minister und Parlamente
Gerichte und Richter
freie Wahlen

5. streitet gegen:
Krieg und Gewalt
organisiertes Verbrechen
Wirtschaftskriminalität

6. protestiert gegen:
Einfluss des Militärs
eingeschränkte Meinungsfreiheit
Macht der Massenmedien

7. ist nicht einverstanden mit:
den fortschrittlichen Grünen
Ökologen
liberaler Drogenpolitik

8. wehrt sich gegen:
Einflüsse von außen
Fremde und Ausländer
Rechte der Minderheiten

 A16

Politische Richtungen umschreiben

Zu welcher politischen Richtung gehören wohl die einzelnen Redner? Wählen Sie passende Begriffe.

links
in der Mitte
rechts

kommunistisch
sozialistisch
alternativ
sozialdemokratisch
demokratisch
fortschrittlich
liberal
konservativ
faschistisch

die Linke
die Mitte
die Rechte

die Kommunisten
die Sozialisten
die Alternativen
die Sozialdemokraten
die Demokraten
die Fortschrittlichen
die Liberalen
die Konservativen
die Faschisten

6 Grammatik

Text (3): Thema und Aufbau von Texten

Was ist das Thema?
Wie wird es entwickelt?

Wie ist der Text aufgebaut?

Thema:

PERSONENBESCHREIBUNG:

Aufbau:

Person:

- *Name*
- *Geburtstag*
- *Geburtsort*
- *Kindheit*
- *Ausbildung*
- *Wohnort(e)*
- *Beruf(e)*
- *Werke*

Katja Lange-Müller, geboren 1951 in Ostberlin, aufgewachsen in Berlin-Lichtenberg, gleich hinterm Hauptbahnhof. Von Beruf war sie zuerst Schriftsetzerin, dann Krankenschwester; nun arbeitet sie als Schriftstellerin. 1984 Ausreise aus der damaligen DDR und Übersiedlung nach West-Berlin. 1996 erschien ihre Erzählung „Verfrühte Tierliebe", die mit dem Alfred-Döblin-Preis ausgezeichnet wurde. Katja Lange-Müller lebt in Berlin.

Zeitablauf

- 1951
- zuerst
- dann
- nun
- 1984
- damalig
- 1996

Text (4): Text-Zusammenhang

→Ü20a)

Welche Wörter und
Wortgruppen hängen
inhaltlich zusammen?

Welche Wörter
verweisen auf
andere Wörter?

ERZÄHLUNG:

jung sein

- *... verändern wollen*
- *sich ... fühlen*
- *fordern*
- *sich ... treffen*
- *diskutieren*
- *Aktionen inszenieren*

Spontane Aktionen

- *Subkultur*
- *wilde Partys*
- *Kindereien*
- *Randerscheinungen*

Ein Nashorn will die Welt verändern. Es ist noch jung, denkt „Schule, Arbeit, Tod, dies kann doch unmöglich alles sein". Es fühlt sich voller Liebe, Anarchie, Sehnsucht nach Glück und fordert Arbeit, Brot und Spaß für alle. Das junge Nashorn trifft sich mit Gleichgesinnten, diskutiert ganze Nächte lang. Allen ist klar: Da muss was geschehen! Spontane Aktionen werden inszeniert,
…
Ein paar Jahre später fragt sich das Nashorn: „Was sind schon spontane Aktionen, Subkultur und wilde Partys, all diese Kindereien, diese Randerscheinungen einer zunehmend schlechter werdenden Welt? Jetzt muss was passieren." Es entschließt sich, seriös zu werden, einer Partei beizutreten und der Menschheit tatkräftig zu helfen.
…
Eines Tages sitzt dem „Nashorn senior" sein eigener Sohn, das „Nashorn junior" gegenüber.

Personalpronomen

Demonstrativ-Artikel

Reflexivpronomen

Indefinitpronomen

Wortwiederholung

Possessivartikel

Text (5): Textsorten

→Ü20b)

Fragen zu den Textsorten:

1. Wer schreibt an wen / für wen?   Autor, Adressat
2. Worüber schreibt er/sie?   Thema
3. Warum/Wozu schreibt er/sie?   Schreibanlass, Schreibziel
4. Wie baut er/sie den Text auf?   Textaufbau
5. Welche sprachlichen Mittel verwendet er/sie?   Sprachliche Mittel

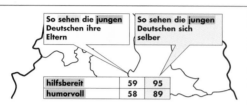

Im Bewusstsein der jungen Deutschen sind bestimmte Klischees vom typischen Deutschen positiv lebendig geblieben. Sie halten ihre Landsleute und Eltern, aber auch sich selber für pünktlich (80%), fleißig (78%) und recht ordentlich (67%). Der typische Deutsche mag Regeln und Normen und verkörpert gutes Ingenieurwesen und Qualitätsarbeit.

„Wir lieben Deutschland so sehr, dass wir froh sind, dass es zwei davon gibt", hat der französische Schriftsteller François Mauriac einmal gesagt; vermutlich nur halb im Scherz.
Seit 1990 gibt es zumindest eines dieser Deutschländer oder Deutschlands, die Deutsche Demokratische Republik, nun nicht mehr. Nach einer massiven politischen und wirtschaftlichen Krise hat sich der Staat DDR aufgelöst, nicht in Luft, sondern ordentlich, wie es nun mal deutsche Art ist. (…)
Deutschland, so heißt es, ist vereinigt, wiedervereinigt.
Was denn nun, fragen sich manche Nicht-Deutsche verwirrt, und manche verwirrte Deutsche auch, „vereinigt" oder „wiedervereinigt"?
Gewiss, das Land war geteilt infolge des zweiten Weltkriegs. Also ist es nun wieder vereinigt. Aber beide Deutschländer, die BRD und die DDR, hatte es ja vor dem zweiten Weltkrieg gar nicht gegeben. Also sind die zwei Nachkriegs-Deutschlands jetzt vereinigt.

SACHBESCHREIBUNG:

Textsorten: Sachtext (z. B. Statistik, Reiseführer)

Struktur-Merkmale:
– *Thema:* Sache (z. B. Stadt, Land, Nation)
– *Entwicklung des Themas:* einzelne Informationen (z. B. Nation: Mentalität, Selbstwahrnehmung, Fremdwahrnehmung); manchmal zusammen mit einer Grafik
– *Aufbau:* Reihung der Informationen zur Sache, frei oder in einem sachlogischen Zusammenhang
– *Sprachliche Mittel:* Tempusformen der Gegenwart; sachlich beschreibende Adjektive; viele Links- und Rechtsattribute zu nominalen Kernen

---

BESCHREIBUNG MIT BEWERTUNG/ARGUMENTATION

Textsorten: z. B. Leserbrief, Essay

Struktur-Merkmale:
– *Thema:* Personen, Ereignisse, Erfahrungen
– *Entwicklung des Themas:* Beschreibung und eigene bzw. fremde Meinung dazu
– *Aufbau:* Verbindung von Beschreibung und Bewertung / Argumentation
– *Sprachliche Mittel:* Tempusformen der Vergangenheit und Gegenwart (bei der Beschreibung); Tempusformen der Gegenwart (bei der Bewertung / Argumentation); bewertende Adjektive; Kausalangaben; Modalangaben; Modalpartikeln

Relativsatz (3): Relativsatz mit Relativpronomen im Genitiv

→Ü8 – Ü9

Der Krieg , **dessen** Urheber Nazi-Deutschland **war**, endete am 8./9. Mai 1945.

Das Land , **dessen** „Führer" den „totalen Krieg" **proklamiert hatten**, war nun total zerstört.

Die Not , **deren** Ursache der Krieg **war**, war in den Jahren 1945 – 1948 riesengroß.

Die Menschen , **deren** Häuser **zerstört waren**, froren und hungerten im Winter.

RELATIV-PRONOMEN	SINGULAR MASKULIN	NEUTRUM	FEMININ	PLURAL
NOM	der	das	die	die
AKK	den	das	die	die
DAT	dem	dem	der	denen ⚠
GEN	**dessen**	**dessen**	**deren**	**deren**

Hauptsatz und Nebensatz (12): Adversativsatz

→Ü14 – Ü15

Im Westen sind **64% der Bürger** mit der heutigen Staatsform zufrieden.

Im Osten sind (dagegen) (nur) **39% der Bürger** damit zufrieden.

Während im Westen **64% der Bürger** mit der heutigen Staatsform zufrieden sind,

sind **im Osten 39% der Bürger** damit zufrieden.

Hauptsatz und Nebensatz (13): Sätze mit „anstatt ... zu ..."

→Ü27 – Ü28

Anstatt sich in dem vereinigten Land wohl **zu fühlen**, **fühlen** sich viele heimatlos.

Viele **fühlen sich** in dem vereinigten Land nicht wohl, sondern sie **fühlen sich** heimatlos.

GLEICHES SUBJEKT

Hauptsatz und Nebensatz (14): Sätze mit „ohne dass ..."

→Ü27 – Ü28

1990 **wurde** die Vereinigung **beschlossen**, **ohne dass** man große Probleme **erwartete**.

1990 **wurde** die Vereinigung **beschlossen**;   dabei erwartete man keine großen Probleme.

VERSCHIEDENE SUBJEKTE

Hauptsatz und Nebensatz (15): Sätze mit „ohne ... zu ..."

→Ü27 – Ü28

1990 **hat** man die Vereinigung **beschlossen**, **ohne** große Probleme **zu erwarten**.

1990 **hat** man die Vereinigung **beschlossen**; dabei hat man keine großen Probleme erwartet.

GLEICHES SUBJEKT

Die Donau entlang

1 Von Passau donauabwärts

Auftrag 1

 A1

Zusammenhänge herstellen

a) Sammeln Sie Informationen und Eindrücke aus den Fotos ① und ② und aus dem Text.
b) Was findet man an einem Fluss? Sammeln Sie:

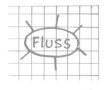

→Ü1
→Dossier

①

Passau

Wo genau die Donau ihre Quelle hat, darüber streitet man im Schwarzwald. Die Geografen lassen sie bei Donaueschingen beginnen, wo die beiden Flüsschen Breg und Brigach zusammenfließen, bei „Stromkilometer 2845".
Bei „Stromkilometer 0", der Mündung ins Schwarze Meer, ist aus der Donau ein Strom von mehr als 1000 m Breite geworden, der zehn Staaten berührt hat.
In diesem Kapitel stehen drei Abschnitte der Donau im Mittelpunkt: (1) von Passau donauabwärts, (2) in und um Melk, (3) die Donau-Auen östlich von Wien.

Zwischen Passau und Wien folgen jedes Jahr ca. 120000 Menschen dem Fluss – mit dem Fahrrad! Das macht diese Strecke zur wohl bekanntesten Radroute Europas, und mit gutem Grund: In kaum einem anderen Abschnitt des Donautals begegnet man auf nur 350 km Länge einer solchen Vielfalt an Landschaften und Kulturschätzen, einer solchen Dichte von historischen Orten und Bauwerken. Stille bewaldete Täler, fruchtbare Ebenen und steile Weinterrassen wechseln sich ab. Einfache Bauernhöfe prägen die Landschaft ebenso wie prachtvolle Klöster, einst mächtige Burgen und die Großstädte Linz und Wien.

②

Donauradweg

 A2

Sehen Sie sich die Karte an: Warum ist diese Donaustrecke so beliebt? Notieren Sie.

→Ü2 – Ü4

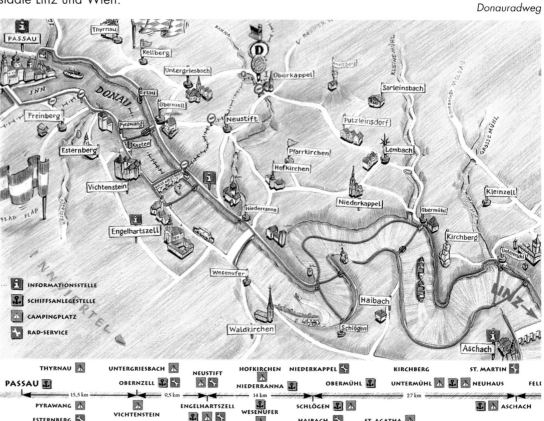

Von Passau abwärts fließt die Donau in einem engen Tal. Auf beiden Seiten des Flusses gibt es Radwege oder kleine Nebenstraßen mit nur wenig Verkehr. Viele größere Orte liegen in der Höhe über dem Strom. Hier ist die Landschaft eher rau und karg, an den steilen Hängen über den Ufern wächst fast überall dichter Wald. Eine Reihe von Schiffsanlegestellen ermöglicht es auch Radfahrern, einen Teil der Reise auf dem Wasser zurückzulegen.

Aschach an der Donau: A-4082, 07273/6355.
Seehöhe: 270 m. Einer der ältesten Orte an der Donau in Österreich (seit 777). Sehenswürdigkeiten: Pfarrkirche (erbaut 1490), alte Bürgerhäuser mit schönen Fassaden und Hinterhöfen, viele gute Gasthöfe. Radfahrstation.

Engelhartszell: A-4090, 07717/8245.
Seehöhe: 295 m. Sehenswürdigkeiten: Stift Engelszell, mit herrlicher Rokoko-Kirche, gotische Pfarrkirche; Donaukraftwerk.

Kirchberg ob der Donau: A-4131, 0786/7216.
Seehöhe: 580 m, Aussichtsberg Burgstall (613 m) ist die höchste Erhebung direkt an der Donau, Rundblick vom Böhmerwald bis zu den Alpen. Barocke Pfarrkirche (renoviert), Freibad, Tennisplätze.
Ortsteil **Obermühl:** Schiffsanlegestelle, Donaufähre.

Hofkirchen im Mühlkreis: A-4142, 07585/255.
Seehöhe: 600 m. Freizeitzentrum mit Tennis, Sauna, Fitness und Solarium. Tourismusorte **Niederranna** (Schiffsanlegestelle) und **Schlögen** (Donauschlinge); romantische Schlösser, Burgen und Ruinen.

Obernzell: D-94128, 08591/1877.
Seehöhe: 300–600 m. Ehemalige Sommerresidenz der Passauer Bischöfe. Die Donaufähre verbindet Bayern mit Oberösterreich. Anlegestelle. Fahrradverleih.

Passau: D-94032, 0851/95598-0.
Seehöhe: 294–443 m. Alte Stadt mit viel jungem Leben an den drei Flüssen Donau, Inn und Ilz. Bedeutende Kirchen, Museen und Galerien. Dom: größte Kirchenorgel der Welt. Europäische Kulturwochen. Schiffsanlegestelle aller Donaulinien.

Waldkirchen/Wesenufer: A-4085, 07718/2550.
Seehöhe: 285 m. Wanderwege. Sehenswürdigkeiten: Ruine Wesen, alte Bierbrauerei, Donaubrücke, Anlegestelle.

A3

Angebote vergleichen

a) Was bieten die einzelnen Orte an der Strecke? Lesen und sortieren Sie.

Natur:
Freizeit:
Kultur:
Verkehr:

b) Studieren Sie den Fahrplan: Sammeln Sie Vor- und Nachteile einer Fahrt mit dem Schiff.

→Ü5

A4

Reisetipps verstehen

a) Hören Sie ein Interview: Notieren Sie einige Tipps für Radtouren entlang der Donau.

Strecke:
Unterkunft:
Ausrüstung:

b) Sammeln Sie in der Gruppe weitere Tipps.

→Ü6 – Ü8

Fahrplan Schifffahrt

Donau-abwärts		Passau Linz	Passau Obernzell Linz	Passau Engelhartszell	Passau Obernzell Schlögen	Passau Engelhartszell
Passau	ab	9.00	13.10	10.00	11.00	14.20
Obernzell		9.45	14.15*	-	11.45	-
Engelhartszell		-	15.00	11.25	-	15.45
Niederranna H		-	15.15	-	-	-
Wesenufer H		-	15.20	-	-	-
Schlögen H		-	15.40	-	13.10	-
Obermühl H		-	16.20	-	-	-
Untermühl H		-	16.50	-	-	-
Aschach		-	17.35	-	-	-
Linz	an	14.00	19.10	-	-	-

Fahrpreise auszugsweise in DM und ÖS

Strecke		einfach DM	Hin und Rückfahrt DM	einfach ÖS	Hin- und Rückfahrt ÖS
Passau	- Linz	34,--	40,--	242,--	284,--
	- Schlögen	22,--	26,--	156,--	184,--
	- Schlögen-E'zell	24,--	-	171,--	-
	- Engelhartszell	18,--	22,--	128,--	156,--
	- Obernzell	14,--	18,--	100,--	128,--

Übernachtungen

Wegen des lebhaften (Rad-)Tourismus in der Donau-Region können in der Hochsaison in manchen Gebieten die Gasthöfe und Hotels ausgebucht sein. Das gilt vor allem für das relativ dünn besiedelte Donautal zwischen Passau und Aschach. In den Sommermonaten sollte deshalb die Unterkunft der nächsten Etappe jeweils 1–2 Tage im Voraus telefonisch gebucht werden.

Auftrag 1 ▷ Sammeln Sie Informationen über die Donau (Daten, Staaten und Städte, Geschichte, wirtschaftliche Bedeutung) und referieren Sie in der Gruppe.

Auftrag 2 ▷ Planen Sie einen Tag mit Fahrrad oder mit Fahrrad und Schiff von Passau aus:
– Wo überqueren Sie die Grenze? Wie viele Kilometer fahren Sie? Was schauen Sie sich an? Wo übernachten Sie?
– Vergleichen Sie Ihre Tagesprogramme: Wann, wo und wie kommen alle Gruppen wieder zusammen?

2 Station: Melk

A5

Bilder beschreiben

a) Beschreiben Sie möglichst genau, was Sie sehen. Trennen Sie Sehen und Bewerten.
b) Beschreiben Sie Ihre Eindrücke, bewerten und begründen Sie.

sehen:
bewerten:

→Ü9 – Ü10

A6

Äußerungen beurteilen

a) Lesen Sie beide Texte: Welche Aussagen sind neutral, welche subjektiv? Vergleichen Sie.
b) Hören Sie: Was wollen Sie sich anschauen, das Kloster oder die Burg? Begründen Sie.

→Ü11 – Ü13

Benediktinerkloster Melk an der Donau

Burg Aggstein, Blick donauaufwärts

Dienstag, 17. Mai:

Von Marbach mit der kleinen Fähre über die Donau. Mit Rückenwind rollen wir langsam auf Melk zu, bleiben in Pöchlarn nicht stehen. Immer größer wird das Kloster auf dem kleinen Hügel am Strom, immer mächtiger schaut es herab. Ich stelle mir vor, in unserem Tempo haben sich früher auch die Schiffe bewegt, mit der Strömung dahintreibend, als die Donau noch keine Kette von Stauseen war.
In jedem Schulbuch war Melk abgebildet, auf Briefmarken, x-mal bin ich mit dem Zug vorbeigefahren. Im Radltempo zeigt es seine ganze Macht: Wie ein großes Schiff wirkt es von fern, umso höher, je näher man kommt. Dazu diese gelb-rötliche Farbe, vielleicht ein bisschen dunkler als das Habsburgergelb der Kaiserschlösser. Aber es gehört zusammen: Macht der Kaiser, Macht der Kirche – von oben herab, unten die kleinen Leute. Die Besichtigung des Klosters war dann weniger imposant …
Weiter auf dem rechten Ufer zur Ruine Aggstein, dann wieder aufs linke nach Spitz.

Benediktinerkloster Melk.
Der Bau dieses großartigen Barockklosters von europäischem Rang erfolgte unter dem Baumeister J. Prandtauer in den Jahren 1702 bis 1747. Die Deckenfresken des Marmorsaales und die 70000 Bände umfassende Bibliothek sind die eindrucksvollsten Kostbarkeiten der Anlage. Die *Stiftskirche* ist den Heiligen Peter und Paul geweiht; sie besitzt Deckenfresken von J. M. Rottmayr und eine 64 m hohe Kuppel.

Burg Aggstein.
Riesige Burganlage aus dem 12. Jh., erbaut auf einem steilen Felsen, 300 m über dem Tal. Von hier aus wurde die Donau mit Ketten abgesperrt, um von durchfahrenden Schiffen hohe Zölle zu erpressen. Großartige Fernsicht und alte Burggaststätte.

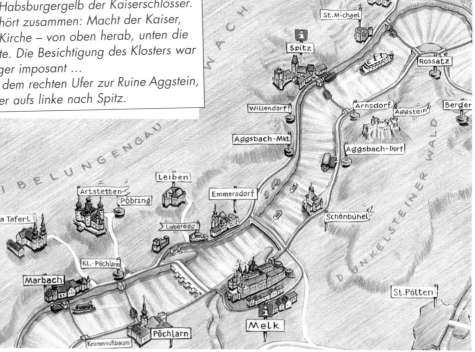

A7

Informationen austauschen

Gut essen, Wein trinken und rasten: Was für Tipps bekommen Sie? Lesen, hören und sammeln Sie.

→Ü14 – Ü17

● Hallo, wo kommt ihr denn her?

○ Wir waren jetzt zwei Tage in Melk, und heute fahren wir weiter in die Wachau.

■ Und ihr, was habt ihr vor?

● Wir wollen eigentlich nur die Stadt anschauen und einkaufen. Und dann fahren wir gleich weiter.

□ Oder wir machen einen Tag Pause, eine richtige Rast, mit einem großen Picknick an einem schönen Fleck. Kommt darauf an, wie es uns gefällt.

■ Wir haben auch eine Pause eingelegt und sind gestern nur wenig gefahren, weil ich kaum noch sitzen konnte. Und wir haben uns so richtig ausgeruht …

○ … und am späten Nachmittag sind wir ins nächste Dorf zu einem ganz gemütlichen einfachen Heurigen, und dann ist es dort sehr spät geworden.

□ Das klingt ja gut, wo wart ihr denn da?

○ Das war in Mauer, so ein einfacher Familienheuriger. Ich hab noch irgendwo einen Zettel von denen; den könnt ihr gern haben, wenn ich ihn noch finde.

● Das wär super! – Habt ihr auch noch einen guten Tipp zum Einkaufen?

■ Einkaufen? Ja, da ist ein ganz netter kleiner Laden in der Hauptgasse …

Hausgemachte Marmeladen
Verschiedene eingelegte Gemüse:
– Salzgurken, Senfgurken
– Sauerkraut
Frisch gepresste Säfte:
– Äpfel
– Karotten
– Trauben

Wachauer Weine
Most aus biologischem Obst
Täglich frische Bauernmilch

A8

Hören und lesen Sie: Was ist ein „Heuriger"? Was kann man da essen und trinken?

→Ü18 – Ü20

→Dossier

Auftrag 3 Beschreiben Sie ein Bauwerk, das Sie stark beeindruckt hat. Trennen Sie Beschreibung und Bewertung. Wie haben sich Ihre persönlichen Eindrücke im Lauf der Zeit verändert, und warum? Machen Sie einen Bericht darüber.

Auftrag 4 Sie sind heute für ein Picknick Ihrer Gruppe zuständig. Sammeln Sie dazu die Wünsche im Kurs. Besorgen Sie möglichst viele lokale Produkte.

Auftrag 5 Schreiben Sie ein Reisetagebuch über die Station in Melk oder den ersten Tag einer eigenen Tour.

3 Der Nationalpark Donau-Auen

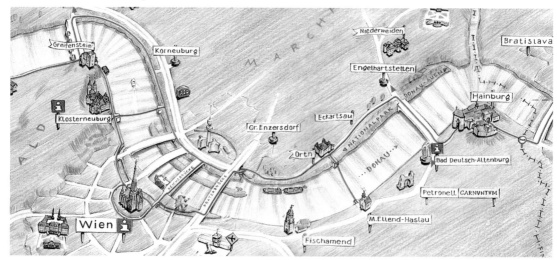

 A9

Vorgänge in der Natur beschreiben

a) Warum ist wohl die Donau ein bedrohter Fluss? Sammeln Sie mögliche Gefahren.

Willkommen im Nationalpark Donau-Auen!

Der Nationalpark sichert:

- Österreichs letzte freie Fließstrecke der Donau mit Auwald
- das größte Auensystem in Mitteleuropa
- wertvollen Lebensraum für viele gefährdete Tier- und Pflanzenarten
- einen natürlichen Speicher für Trinkwasser
- die „Grüne Lunge" für die Region von Wien bis Bratislava

Auen-Informationszentrum bei Hainburg

b) Stellen Sie die Naturabläufe in Fluss-Auen als Diagramm dar. Tragen Sie wichtige Ausdrücke ins Diagramm ein.
c) Sammeln Sie zu jeder Gruppe von Tieren ein paar Beispiele:

Insekten: _____

Fische: _____

Amphibien: _____

Vögel: _____

Säugetiere: ____

→Ü21 – Ü23

Das Wesen von Fluss-Auen wird vom Wasser bestimmt: ob fließend oder stehend, ob als Hochwasser bei Überschwemmungen oder unter der Erde als
5 Grundwasser. Überschwemmungen spielen für die Auenlandschaft eine große Rolle. Sie reißen Löcher in die Ufer und tragen Land ab. Der Fluss transportiert dieses Material an andere Stellen, wo kleine neue
10 Inseln aus Sand und Steinen entstehen. Ganz allmählich schafft er sich ein neues Bett, so dass das alte Flussbett zum Nebenarm wird: Ein „Altarm", fast so ruhig wie ein See, entsteht.
15 Diese dauernde natürliche Veränderung gibt ganz unterschiedlichen Pflanzen und Tieren eine Chance: Manche Pflanzen wachsen als „Pioniere" auf den schattenlosen neuen Inseln und schaffen damit
20 neuen Lebensraum für weitere Arten; andere Wasserpflanzen und Baumarten brauchen dagegen das ruhige Wasser der Altarme.

Ähnliches gilt für die Tierwelt. Von den
25 kleinsten Insekten über die Amphibien, Fische und Vögel bis hin zum größten einheimischen Säugetier, dem Rothirsch, finden hier viele Arten ihren natürlichen Lebensraum, fressen und werden gefressen.
30 Der sonst seltene bunte Eisvogel gilt als Symboltier des Nationalparks. Ursprünglich waren 80 Fisch-
35 arten in der Donau heimisch, 30 sind ausgestorben. Von den verbliebenen 50 Arten
40 brauchen manche die ruhigen Altarme, andere finden nur an Ufern im offenen Fluss ihre Beute.

Eisvogel

Im Jahr 1984 sollte im Gebiet des heutigen Nationalparks Donau-Auen mit dem Bau eines großen Flusskraftwerks begonnen werden. Es kam zu einem offenen Konflikt zwischen den ökonomischen Interessen der Stromwirtschaft und den ökologischen Sorgen vieler Bürgerinnen und Bürger.

1984

An der letzten längeren natürlichen Fließstrecke der Donau östlich von Wien soll
der Fluss aufgestaut und das Kraftwerk
5 Hainburg errichtet werden. Österreichs
Regierung und Gewerkschaften stehen
hinter diesem Projekt der Stromwirtschaft.

Dezember 1984

In der „Hainburger Au" wird die Baustelle
10 eingerichtet, die ersten Bäume werden
gefällt. Bürgerinnen und Bürger jeden
Alters besetzen daraufhin friedlich das
Gelände. Die Au wird zweimal von der
Polizei „geräumt". Die Bilder des massiven
15 Polizeieinsatzes vom 19.12.84, wenige
Tage vor Weihnachten, erschrecken die
ruhegewohnte österreichische Öffentlichkeit. Der damalige Bundeskanzler
Sinowatz verordnet einen vorläufigen
20 Baustopp und eine Nachdenkpause.
Wissenschaftliche Studien zeigen bald
danach: Würde der geplante Kraftwerksbau durchgeführt, gäbe es bald keine
natürliche Auenlandschaft mehr.

25 1989

Mit Spenden von 120 000 Menschen wird
ein Teil der Donau-Auen durch Umweltorganisationen gekauft, um weitere Kraft-
werkspläne zu erschweren oder zu
30 verhindern.

1996

Der „Nationalpark Donau-Auen" wird
errichtet. Zugleich wird in ganz Österreich
die Wasserkraft als „saubere Energie"
35 weiter ausgebaut, obwohl viele Studien
beweisen, dass das auch zu einem
weiteren Ausbau von Wärmekraftwerken
(Kohle, Gas, Öl) führt. Denn in den
Wintermonaten mit dem höchsten Strom-
40 verbrauch bringen Wasserkraftwerke
die geringste Leistung.

A10

**Argumente
zusammentragen**

a) Suchen Sie die
am Konflikt
Beteiligten
in Text und Fotos.
b) Schreiben Sie
einen
Stichwortzettel
zur Geschichte
des „Nationalparks
Donau-Auen".
c) Notieren Sie
Argumente
für oder gegen
den Kraftwerksbau
und diskutieren Sie.

→Ü24 – Ü25

A11

Wie beurteilen
Sie das Verhalten
der Bürgerinnen
und Bürger in dieser
„Strom"-Geschichte?

Auftrag 6 Machen Sie eine Wandzeitung über eine Naturlandschaft, die Ihnen vertraut ist. Welche Tier- und Pflanzenarten sind für diese Landschaft typisch, welche Veränderungen bedrohen sie?

A12 **4 Wortschatz**

Spielen Sie in Gruppen: Würfeln Sie und ziehen Sie auf das entsprechende Feld. Stellen Sie zu dieser Situation eine passende Frage. Wer eine falsche Frage stellt, muss einmal aussetzen. (Die Gruppe entscheidet.)

Wer ist zuerst am ZIEL?

START	ZIEL

am Bahnhof, Leute Durchsage, nicht verstanden?

im Gasthaus, Kellnerin Speisekarte: Menü erklären?

in der Touristen-Information preiswerte Unterkunft?

Entschuldigen Sie bitte, kann ich Sie was fragen?

im Restaurant, Ober Essen, Trinken: Tipps?

in der Pension Zimmer mit Dusche/Bad?

im Gasthaus, Kellnerin bezahlen, Taxi bestellen?

an der Hotel-Rezeption Einzelzimmer: Preis?

Können Sie mir vielleicht helfen?

in der Pension, andere Gäste schöne Souvenirs kaufen?

an der Rezeption Frühstück: Zeit, Ort?

Verzeihung. Bitte, wo …?

am Hafen Ausflüge mit Schiff, Zeit?

im Café, Jugendliche am Abend ausgehen?

im Hotel, Rezeption Taxi Flughafen: Preis, Dauer?

Unterwegs

auf der Straße, Touristen gutes einfaches Gasthaus?

im Verkehrsbüro Fahrplan U-Bahn? Tickets?

am Bahnhof Zug nach …, Ankunft vor 9.00?

auf der Straße, Polizist Geld wechseln?

am Bahnhof Fahrrad im Zug? Preis?

Ich hätte da noch eine Frage.

an der Tankstelle Reifen: Luft kontrollieren?

in der Touristen-Information Schloss besichtigen: Zeit?

an der Tankstelle Werkstatt fürs Auto: Ort?

im Reisebüro Veranstaltungen? Karten?

Entschuldigung, wissen Sie, …?

in der Pension Fahrräder ausleihen, Preis?

auf der Straße Bus ins Zentrum: Haltestelle?

auf der Straße Weg zum Campingplatz?

am Bahnhof Zug nach …, reservieren?

Könnten Sie mir bitte sagen, …

an der Ampel, Autofahrer Parkplatz im Zentrum?

im Reisebüro Ausflug in die Umgebung?

Einen Augenblick bitte!

an der Hotel-Rezeption Gepäck hier lassen?

Leute auf der Straße Weg zum Kino?

im Zug, Schaffner Verspätung? Ankunftszeit?

am Bahnhof, Auskunft Abfahrtszeit? Gleis?

5 Grammatik

Unregelmäßige Verben: Typen (2)

(Oder: „Der Sinn im Unsinn")

→K18
→Ü12

80
Aida

Typ 1: a/i/a

Beispiele: f**a**llen/f**ie**l/gef**a**llen   f**a**ngen/f**i**ng/gef**a**ngen
Ebenso: halten, raten, braten, schlafen, lassen   hängen, gehen
Ebenso: Ableitungen, z.B. gefallen, unterhalten

Aida

Was *gefällt*
und *unterhält*
die Welt?
Natürlich Aida
in der Arena
von Verona.
Warst du noch nie da?

Raterei

„Was hast du *gebraten*?
Lass mich mal *raten*:
Ein Steak oder Ei?"
„Ist doch einerlei!
Hauptsache:
Danach kannst
du *schlafen*."

Sprichwort

*Mitgegangen,
mitgefangen,
mitgehangen.*

Typ 2: a/u/a

Matura

Beispiel: f**a**hren/f**u**hr/gef**a**hren
Ebenso: schlagen, tragen, laden,   waschen, wachsen
Ebenso: Ableitungen, z.B. aufladen

Der Bilder-Dieb

Die Bilder in Tücher *geschlagen*
und heimlich zum Wagen *getragen*.
Doch als er sie *auflud*,
da verließ ihn der Mut:
Ohne Bilder nach Hause *gefahren*!

Aua!

Waschen
und *wachsen*
kann man leicht
varwachseln.

Typ 3 / Typ 6: e/a/e
i/a/e

Beate/
Zigarre

Beispiel: l**e**sen/l**a**s/gel**e**sen   l**ie**gen/l**a**g/gel**e**gen
Ebenso: essen, fressen, vergessen, geben,
           treten, sehen, geschehen; sitzen
Ebenso: Ableitungen, z.B. mitlesen

Der Kater von Beate

Sie *lag* auf der Liege und *las*.
Er *saß* auf der Stiege und *aß*.
Dabei *vergaßen* sie ganz
den Kater Franz,
der inzwischen die Wurstwaren *fraß*.

Doch als sie *gesehen*,
was da *geschehen*,
Traten zusammen die drei:
Gab das ein Geschrei!

39

Senator

Typ 4: e/a/o

Beispiel: helfen/half/geholfen
Ebenso: werben, sterben, nehmen, stehlen, empfehlen, befehlen, sprechen, brechen, erschrecken, werfen, treffen; kommen
Ebenso: Ableitungen, z. B. erwerben

So ist das eben

Schon mancher Mann *warb*
um ein Weib, bis er *starb*.
Und wer ein Weib sich *genommen*,
ist auch ums Leben *gekommen*.

Zungenbrecher

Zungenbrecher *gesprochen*,
die Zunge *gebrochen*,
zu Tode *erschrocken*:
Nun *sprech* ich in Brocken!

Kuppelei

Erst hat sie *verstohlen*
mir ihre Freundin *empfohlen*:
Ich sollt' um sie *werben*,
ihre Gunst mir *erwerben*.
Dann hat sie's streng mir *befohlen*!

So ein Pech!

Dreimal *geworfen*:
einmal daneben,
einmal *getroffen*,
noch mal daneben.

Belmondo/
Kimono

Typ 5 / Typ 9: e/o/o
i/o/o

Beispiele: heben/hob/gehoben   schieben/schob/geschoben
Ebenso: ziehen, biegen, bieten, fliegen, lügen, betrügen, verlieren, gießen, fließen, schließen, schießen
Ebenso: Ableitungen, z. B. einbiegen

Zwo ond Zwo

Zwo *schoben*, zwo *zogen* den Wogen.
Und als auf den Plotz sie *einbogen*,
erschrocken die Toben *aufflogen*.

Moritat vom Pokern

Die Boys hab'n beim Pokern *gelogen*.
Die Boys hab'n beim Pokern *betrogen*.
Doch dann *verloren* sie alles
an den listigen Sheriff von Dallas.

Moritat vom Schießen

Der Wirt hat den Boys *eingegossen*, der Schnaps ist in Strömen *geflossen*,
bis die Türen sie *schlossen*, auf die Schnapsflaschen *schossen* –
der Schnaps ist in Strömen *geflossen*.

Picasso

Typ 7: i/a/o

Beispiel: beginnen/begann/begonnen
Ebenso: gewinnen, schwimmen, rinnen
Ebenso: Ableitungen, z. B. zerrinnen

Casino

Mit dem Glücksspiel *begann* ich, zunächst nur *gewann* ich, bin im Gelde *geschwommen*!
Dann nichts mehr *gewonnen* – nun ist alles *zerronnen* …

Typ 8: i/a/u

Pilatus

Beispiele: singen/sang/gesungen;   finden/fand/gefunden
Ebenso: klingen, springen, gelingen, trinken;   binden, schwinden
Ebenso: Ableitungen, z. B. verschwinden

Sinnesfreud

Viel Wein wir *tranken*,
die Gläser *klangen*.
Im Kreis wir *sprangen*
und Lieder wir *sangen*:
Alle Feste *gelangen*!

Liebesleid

Hab Blümlein *gefunden*,
zum Sträußlein *gebunden*
für meinen Schatz –
doch der ist *verschwunden* …

Typ 10: ei/i/i

Weikiki

Beispiele: schreiben/schrieb/geschrieben;   schneiden/schnitt/geschnitten
Ebenso: bleiben, treiben, schreien, schweigen,   leiden, streiten, reiten, gleichen
           steigen, verzeihen, leihen, scheinen, scheiden;
Ebenso: Ableitungen, z. B. absteigen   vergleichen

Schreie im Wilden Westen

Cowboy Billy *litt* einst unter schweren Zahnschmerzen. Deshalb *stieg* er auf sein Pferd und *ritt* in die Stadt. Vor dem Saloon *stieg* er *ab*, um die Schmerzen mit Whisky zu *besiegen*. Weil er dazu eine Menge Whisky brauchte, *stritt* er mit dem Wirt um den Preis. Der aber *schien* keinen Spaß zu verstehen und *schrie*: „Du Halunke!" Da *lieh* sich Billy das Geld auf der Bank und bezahlte die Rechnung, die der Wirt ihm *schrieb*. Er *blieb* noch eine Weile und *schwieg*. Dann machte er sich auf zum Schmied und *trieb* dabei sein Pferd vor sich her. Der Schmied *schnitt* ihm den Kiefer *auf*. Da *schrie* Billy laut nach der Mimmy, seiner *geschiedenen* Frau: „Ay Mimmy, ay Mimmy, *verzeih* mir! Verzeih mir und *leih* mir dein Herz!"

Hauptsatz und Nebensatz (16): Konditionalsätze ohne Konjunktion

→Ü16 – Ü17

a) Konditionalsatz mit realer Bedingung

Transportiert der Fluss Erde **weg**,   **entstehen** anderswo kleine Inseln.
= *Wenn* der Fluss Erde **wegtransportiert**, …

Sind diese Inseln **entstanden**,   **bieten** sie neuen Lebensraum.
= *Wenn* diese Inseln **entstanden sind**, …

REALE BEDINGUNG ⟶	REALE FOLGE
NEBENSATZ OHNE KONJUNKTION:	HAUPTSATZ:
VERB auf Position 1	VERB auf Position 1

b) Konditionalsatz mit irrealer Bedingung

Würde das geplante Kraftwerk **gebaut**,   **gäbe** es bald keine Flussauen mehr.
= *Wenn* das geplante Kraftwerk **gebaut würde**, …

Wäre die Baustelle nicht **besetzt worden**,   **wäre** das Kraftwerk **gebaut worden**.
= *Wenn* die Baustelle nicht **besetzt worden wäre**, …

IRREALE BEDINGUNG ⟶	IRREALE FOLGE

WIEDERHOLUNG

95

„Wachtmeister Studer"

1 „Wachtmeister Studer im Tessin"

Auftrag 1

 A1

Über
Leseerfahrungen
sprechen

a) Was gehört für
Sie zu einem Krimi?
b) Lesen Sie Comics?

→Ü1 – Ü2

 A2

Informationen
geordnet
wiedergeben

Lesen Sie die drei
Texte und berichten
Sie über die
Entstehung
des Comics
„Wachtmeister
Studer".

→Ü3

Die folgende Kriminalgeschichte basiert auf Fragmenten zu einem „Ascona-Roman" des Schweizer Schriftstellers Friedrich Glauser, die er in den 30er Jahren geschrieben hat. Der Zeichner Hannes Binder hat daraus 60 Jahre später den Comic „Wachtmeister Studer im Tessin: Eine Fiktion" gemacht, indem er sie zu einer neuen Geschichte kombiniert hat.

Hannes Binder

Hannes Binder (Jahrgang 1947) machte seine Ausbildung als Grafiker in Zürich. Danach arbeitete er als Grafiker, Illustrator und Layouter in der Schweiz und in verschiedenen Ländern Europas.
Im „Studer"-Comic wendet Binder eine spezielle Technik an, indem er alles, was weiß erscheinen soll, aus einer schwarzen Vorlage herauskratzt. Dadurch bekommen Binders Bilder etwas Holzschnittartiges; sie wirken unheimlich und fremdartig.
Hannes Binder hat mehrere Kriminalromane von Friedrich Glauser zu Comics verarbeitet.

Friedrich Glauser

Friedrich Glauser (1896–1938) wurde vor allem durch seine Kriminalromane berühmt. Er erfand die Figur des Wachtmeisters Studer von der Berner Kriminalpolizei: ein älterer Polizist mit Schnurrbart, der Brissago (eine lange, dünne Zigarre) raucht. Der Polizist setzt sich für die Schwachen ein und hat ganz eigene Ermittlungsmethoden: Er spricht viel mit den Leuten und versucht, hinter ihre Geschichten zu blicken. Gewalt wendet er dabei nie an. Glauser beschreibt in seinen Romanen und Erzählungen indirekt sein eigenes Leben, das sehr turbulent war.

2 Der erste Ferientag

Auftrag 2

 A3

Stimmungen
beschreiben

Suchen Sie im Text
und im Bild ①
Elemente für:
– Ferienstimmung,
– Unheimliches.

Gring =
Schweizerdeutsch
für „(Charakter-)Kopf"

lädele =
Einkäufe machen
(in Läden/Geschäfte
gehen)

→Ü4 – Ü5

Die Studers waren im Tessin in den Ferien. Im Hotel „Mimosa", Losone. Das Erste, was Studer auffiel, als er am ersten Morgen vom Hotelbalkon aus in die Landschaft hin-
5 ausschaute, war dieser schildkrötenartige Berg. Warum zieht ihn dieser eigensinnige Gring so an? Er beschließt hinzufahren. Hedi, seiner Frau, ist es recht. Sie will lädele in Locarno.
10 Wachtmeister Studer genießt die Fahrt mit der Centovallibahn. Auf der Brücke von Ponte Prolla, hoch über der Maggia, fällt ihm ein Mann mit einem Fotoapparat auf. Studer wundert sich über den waghalsigen Foto-
15 grafen, der gefährlich nahe am Abgrund steht. „Sein Leben aufs Spiel setzen für ein Erinnerungsbild …!", murmelt er. „Freizeitgesellschaft …!"
Studer steigt aus. Es zieht ihn da hinunter. Er
20 schlendert über den Dorfplatz. Auf dem Plakat kündigt Guru Ernesto seinen Vortrag an.

3 Am Fluss

Studer biegt in das gewundene Weglein ein, das zum Fluss führt. „Was für ein Feuerstuhl!", brummt Studer, als er das chrom-
25 blitzende Motorrad sieht. Er erinnert sich wehmütig an seinen guten alten Töff. Astronauten im Tessin?, fragt sich Studer, als ihm dieser Mann im Gummianzug entgegenkommt. Der Fremde startet das
30 Motorrad und prescht davon.

Eine eigenartige Stimmung herrscht unten am Fluss – fast etwas unheimlich. Die Leute verlassen in Scharen das Wasser. Plötzlich zerreißt das Knattern eines Helikopters die
35 Luft. Der Hubschrauber setzt zur Landung an auf die große Sandbank. Eine Frau sei ertrunken, sagen die Leute. Darum wohl sind die Tessiner Kollegen eingeflogen. Nicht mein Fall, denkt Studer und macht sich auf
40 den Rückweg. Schließlich hat man Ferien …

A4

Hypothesen bilden / Geschichten erfinden

a) Betrachten Sie die Bilder ②–③. Was denken wohl die zwei Männer? Schreiben Sie.
b) Welche Gefühle hätten Sie wohl in einer solchen Situation?
→Ü6

Töff = Schweizerdeutsch für Motorrad

A5

a) Schauen Sie Bild ④ an: Was ist wohl passiert? Vergleichen Sie mit dem Text.
b) Ordnen Sie alle bisherigen Informationen.

→Ü7

Auftrag 1 Fragen Sie einander, wie man literarische Texte lesen kann: Mit dem Wörterbuch? Muss man immer alles verstehen? Soll man bestimmte Abschnitte mehrmals lesen? Welche Unterschiede gibt es zwischen dem Lesen von Literatur und z.B. Zeitungen?

Auftrag 2
– Formulieren Sie gemeinsam Suchaufgaben, die Sie beim Lesen der Geschichte lösen. Beispiele: „Verdächtige"/Interessante Personen „verfolgen", „Auffälliges" sammeln. ...
– Überlegen Sie, wie Sie die Informationen festhalten wollen.
– Bilden Sie verschiedene Detektiv-Teams und verteilen Sie die Aufgaben.

→Dossier

4 Im Restaurant

 A6

Ein Bild beschreiben

a) Kennen Sie diese Art von Restaurant? Beschreiben Sie Einrichtung und Stimmung.
b) Lesen Sie den Text. Wie kann man die Stimmung beschreiben?

Ristorante = Italienisch für Restaurant/ Gaststätte

c) Wo sind Sie dem Guru im Text oder auf Bildern schon begegnet? Suchen Sie.

→Ü8 – Ü10

 A7

Gründe nennen

Warum wirkt auf Sie eine Person unheimlich oder gefährlich? Sehen Sie sich die Bilder ①–⑧ an. Sammeln Sie und diskutieren Sie.

→Ü11

A8

Informationen weitergeben

a) Lesen Sie Zeile 57–75: Was sind Tatsachen, was sind Vermutungen?
b) *Sie* sind im Tessin in den Ferien und haben einiges von dieser Geschichte miterlebt. Schreiben Sie einen Brief an Bekannte zu Hause.

→Ü12

Die Stimmung oben im Ristorante ist nicht besser als unten
am Fluss. Sitzt da nicht der Fotograf, der ihm auf der Brücke auf-
45 gefallen ist?
Es hat sich bereits herum-
gesprochen, dass eine Frau ertrunken ist. Am Nebentisch wird
über den Unfall diskutiert. „Ein
50 Unfall?", sagt plötzlich ein Gast
laut. „Ha!" Es ist der Mann mit
dem Fotoapparat! Andere Gäste
nicken. „Seit dieser Guru im
Dorf ist, ist nichts mehr wie vor-
55 her!" Studer bemerkt auch hier
Ernestos Plakat …

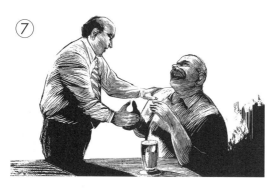

„Studer!" Was für ein Zufall, da taucht doch
wirklich sein alter Kollege Bernasconi auf.
Aber aus einer feuchten Wiedersehensfeier
60 wird nichts. Bernasconi ist im Dienst.
Natürlich, der Badeunfall – „oder war es etwa
kein Unfall?", fragt Studer. Bernasconi
zieht ein Polaroidfoto aus der Tasche und
zeigt es Studer. „Ertrunken ist ertrunken!"
65 „Eine schöne junge Frau – kennt ihr sie?",
fragt Studer. Nein. Deshalb ist Bernasconi
ja hier.

Er zeigt den Gästen das Bild
der Frau. Niemand will etwas
70 wissen.
Warum ist der Mann mit dem
Fotoapparat so plötzlich verschwunden? Dies und anderes
denkt sich Studer auf dem
75 Heimweg …

5 Zwei Begegnungen

Eine Stunde später sitzen Studer
und seine Frau auf der Piazza
von Locarno bei einem Cam-
pari. Hedi hat Karten für das
80 Filmfestival besorgt. Im Kino
schlafe ich immer ein, denkt
Studer.

„Geist in Bewegung", ein Film
über den Ausdruckstanz der 30er
85 Jahre steht auf dem Programm.

Jetzt nur nicht einschlafen! Plötzlich jedoch ist Studer hellwach. Wie Phantome schweben
ätherische Wesen mit ihren merkwürdigen Geräten über die Leinwand. „Monte Verità!", flüstert
Hedi. Die Frau, die da durch die Luft schwebt, kennt er doch von irgendwoher! Doch ausgerechnet jetzt steht ein Zuschauer auf und drängt hinaus – der Fotograf! Jetzt weiß Studer auch,
90 wo er die Frau gesehen hat – auf Bernasconis Polaroidfoto! Die Tote vom Fluss!

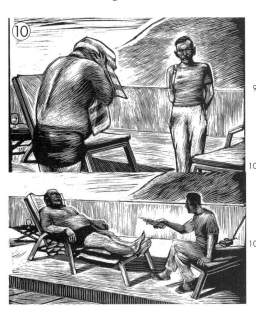

Zeitig am nächsten Morgen: Ein kühner Sprung in
den Hotel-Swimmingpool. Studer will die Geister
vom Vorabend, die seine Träume bevölkerten,
verscheuchen … Als er wieder auftaucht, steht ein
95 Mann am Rand des Schwimmbeckens – schon wieder der Mann mit dem Fotoapparat …! Entschuldigung, dass er so hereinplatze, er wisse, dass Poli-
zisten im Urlaub ihre Ruhe haben möchten. „Aber
ich muss Sie sprechen", sagt er und streckt ihm eine
100 Brissago entgegen. Woher weiß er, dass Studer Polizist ist? Und woher weiß er, dass Studer Brissago
raucht …? Glauser heiße er, sagt der Mann, er wohne in einer Mühle bei Arcegno. Stumm hält er Studer drei Fotos hin. Auf dem ersten lässt sich ein
105 Taucher ins Wasser gleiten. Auf dem zweiten greift
eine einsame Schwimmerin erschrocken in die
Luft. Auf dem dritten Bild versinkt sie. „Wer ist die
Frau?", fragt Studer.

„Eine Tänzerin. Die Geliebte des Gurus, der sich im Tal breit ge-
110 macht hat. Er wohnt in Tegna, in der Villa ‚Camelia'. Das war Mord,
Herr Studer! Alle haben sie bewundert. Nicht nur der Guru!" Studer
nickt. „Sie wohl auch, Herr Glauser!" Das sei seine Sache. Studer
steht auf: „In dem Fall: Arrivederci!" „Ist das alles?", fragt Glauser.
„Ich dachte, Sie sind bei der Polizei! Das war Mord!" „Auf dem Weg
115 zum Fluss bin ich einem Mann im Taucheranzug begegnet. Er ist auf
einem Motorrad davongefahren! – Jetzt sind Sie an der Reihe, Herr
Glauser! – He, Glauser!" Aber der Mann eilt davon (…).

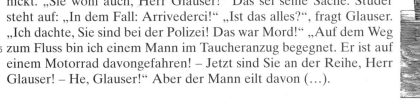

> **Auftrag 3** – Stellen Sie in den „Detektiv-Teams" alles, was Sie bis jetzt über den Fall
> wissen, auf einem Plakat zusammen.
> – Entwerfen Sie dann einen Plan, wie Sie den Fall lösen würden. Notieren Sie
> die wichtigsten Schritte. Stellen Sie Ihren Plan vor und begründen Sie.

Margin (right column):

A9

**Bild und Text
zuordnen**

a) Suchen Sie im Text
passende Sätze zu
den Bildern ⑨–⑪.
Notieren Sie:

b) Notieren Sie
typische Urlaubs-
aktivitäten
aus dem Text.
c) Was machen *Sie*
im Urlaub?

→Ü13

→Dossier

A10

**Informieren und
nachfragen**

Studer ruft
Bernasconi an und
informiert ihn über
Glauser. Spielen Sie.

→Ü14

40

6 Gefahr

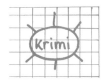

A11

Einen
Handlungsablauf
verstehen

a) Lesen Sie
Z. 118–136
und notieren Sie:
– Orte,
– Personen,
– Handlungen.
b) Welche
Recherche-
Methoden wendet
Studer an?

*der Augenschein =
die Überprüfung*

*die Visage =
(umgangssprachl.
und abwertend für)
das Gesicht*

→Ü15 – Ü16

A12

Texte analysieren

a) Lesen Sie
Z. 118–154
und betrachten Sie
die Bilder 12–14.
Suchen Sie
typische Elemente
für einen Krimi.

*Merlot = typischer
Rotwein aus dem
Tessin (Schweiz)*

b) Warum sagt
Studer wohl:
„Schließlich hat
man Ferien" (Z. 119)
bzw. später „Man hat
ja Ferien!" (Z. 153)?

Warum beschäftigt ihn dieser Glauser?
Schließlich hat man Ferien … Aber wie wär's
120 … doch – ein Augenschein der Guru-Villa
könnte nicht schaden. Und ein Spaziergang
ist ein Spaziergang, mit welchem Ziel auch
immer! Da muss sie sein. Die Villa „Camelia". Studer späht durch das Eisentor in den
125 Park. War das nicht der Kopf des Gurus hinter dem vergitterten Fenster? „Hau ab!" Den
Typen, der ihn am Arm gepackt hat, kennt er
doch! „Lauter Bekannte!", sagt Studer, reißt
sich los und geht ruhig davon. Doppelreiher
130 oder Taucheranzug – die Visage bleibt diesel-
be! So sinniert Studer beim Weitergehen und
entdeckt am Berg oben die Aussichtsterrasse
mit der Kapelle. Langsam keucht er hinauf.
Als Studer das Dorf zu Füßen hat, greift er
135 zum mitgebrachten Fernglas. Er sucht die
Villa. Dort kommt Bewegung in die Szene.

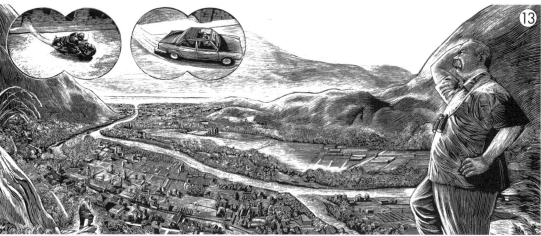

Ein Motorradfahrer fährt aus dem Park, legt sich in die Kurve und rast davon. Hinter ihm ein
Verfolger: ein schwarzer Jaguar. (…) Sie fahren in wilder Jagd durch das Tal, dann über die
Brücke. Auf der alten Waldstraße, die nach Arcegno führt, verschwinden sie. Das Kino geht wei-
140 ter! Beim Abstieg flimmert es ihm vor den Augen. Sein Herz klopft ihm bis zum Hals. Seine
Hände zittern. Die Hitze! Man ist schließlich nicht mehr der Jüngste. Er wird die Figuren nicht
los. Sie begleiten ihn – immer wieder dieselben Gesichter! Lauter Bekannte! Er ist mit
Bernasconi verabredet. Und Hedi wartet im Hotel auf ihn! Los, Studer!

Erst als sie gemütlich beisammen sitzen,
145 Studer den ersten Schluck Merlot genießt
und die Speisekarte vor ihm liegt, fühlt er
sich besser. Zwar kommen ihm auch die
Gäste bekannt vor.
„Telefon, Commissario!" Bernasconi packt
150 das Telefon.
Ein Toter im Wald von Arcegno! Schon sind
die beiden alten Kollegen wieder unterwegs.
„Man hat ja Ferien!", meint Studer und
zündet sich eine Brissago an.

7 Die Lösung?

155 „Rückenschuss!", murmelt Bernasconi. Die beiden Kollegen starren auf den toten Motorradfahrer. Studer fragt sich, wer denn nun jetzt wohl den Taucher umgebracht habe, der seinerseits die Frau … . Und ist es
160 Zufall, dass der Mord in der Nähe der Mühle geschah, wo dieser Glauser …?

Studer träumt schlecht in dieser Nacht. Ist es der viele Wein? Die enge Kammer? Oder am Ende der Fall, in den er hineingestolpert ist? Er steht auf, geht hinaus auf den Balkon und raucht. Glauser, Glauser, denkt er immer wieder. Gut, dass das Moped des Wirts im Hof nicht abge-
165 schlossen ist! Endlich wieder einmal dieses Töff-Gefühl – auch wenn's nur ein Moped ist.
In der Mühle brennt kein Licht. Der Vogel ist also ausgeflogen. Die gerahmte Fotografie mitten auf dem Tisch, neben der abgebrannten Kerze, fällt Studer zuerst auf. Die ertrunkene Tänzerin – eine schöne, junge Frau. Studer löst das Foto vorsichtig aus dem Rahmen und dreht es um: „Dem Traumtänzer Friedel von seiner tanzenden Muse!" Und dann ist da noch die alte Schreibmaschine,
170 in der ein Blatt steckt. Jetzt nur nichts anfassen, denkt Studer. Aber Blicke hinterlassen keine Spuren! Ein Abschiedsbrief etwa? Studer beginnt zu lesen.

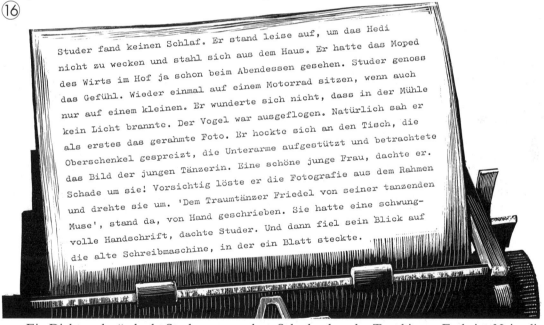

Studer fand keinen Schlaf. Er stand leise auf, um das Hedi nicht zu wecken und stahl sich aus dem Haus. Er hatte das Moped des Wirts im Hof ja schon beim Abendessen gesehen. Studer genoss das Gefühl. Wieder einmal auf einem Motorrad sitzen, wenn auch nur auf einem kleinen. Er wunderte sich nicht, dass in der Mühle kein Licht brannte. Der Vogel war ausgeflogen. Natürlich sah er als erstes das gerahmte Foto. Er hockte sich an den Tisch, die Oberschenkel gespreizt, die Unterarme aufgestützt und betrachtete das Bild der jungen Tänzerin. Eine schöne junge Frau, dachte er. Schade um sie! Vorsichtig löste er die Fotografie aus dem Rahmen und drehte sie um. 'Dem Traumtänzer Friedel von seiner tanzenden Muse', stand da, von Hand geschrieben. Sie hatte eine schwungvolle Handschrift, dachte Studer. Und dann fiel sein Blick auf die alte Schreibmaschine, in der ein Blatt steckte.

„Ein Dichter also", denkt Studer verwundert. Schade, dass der Text hier zu Ende ist. Nein, die anderen Blätter, die gebündelt neben der Schreibmaschine liegen, will er jetzt nicht mehr lesen. Was vorher war, kennt er ja. Und er kennt auch die Lösung, bevor er das Blatt überfliegt,
175 das im Papierkorb liegt …

Auftrag 4 Diskutieren Sie Pro und Kontra: Sind Comics Kunst? Sind Krimis Literatur?
Auftrag 5 Stellen Sie in einem Kurs-Vortrag ein Lieblingsbuch oder einen Lieblingsfilm vor: Autor(in), Regisseur(in), Schauspieler(in); Handlung; Personen.
Auftrag 6 Frage 1: Was haben Sie in welchem Alter in Ihrer Muttersprache gelesen?
Frage 2: Was haben Sie alles auf Deutsch gelesen? Welche Texte haben Ihnen Spaß gemacht, welche nicht?
Wählen Sie eine Frage und erzählen Sie.

A13

Vermutungen und Tatsachen unterscheiden

a) Lesen Sie Z. 155–161 und unterscheiden Sie:

Tatsachen:

Vermutungen:

b) Ergänzen Sie weitere Informationen aus der Geschichte. Schreiben Sie eine Zeitungsmeldung über den Fall.

→Ü17

*die Kammer = das Schlafzimmer
Friedel = (zärtlich für) Friedrich*

A14

Texte vergleichen

a) Suchen Sie Unterschiede und Gemeinsamkeiten zwischen dem Text Zeile 162–171 und dem Schreibmaschinentext.
b) Erklären Sie das Verhältnis zwischen Studer und Glauser: Was vermuten/wissen Sie?

A15

Eine Geschichte zu Ende erzählen

Was hat Glauser getan? Was macht Studer? Erfinden Sie das Ende der Geschichte.

→Ü18 – Ü19

A16

8 Wortschatz

Zeugen gesucht

Die Stadtpolizei bittet die Bevölkerung um ihre Mithilfe:
Am Dienstag, 20. 7., wurde in die Wohnung von Herrn E., Bahnstraße 41, eingebrochen. Der Täter drang gegen 20 Uhr mit Gewalt in die Wohnung ein und stahl einen Fernseher, einen Computer und 5000 DM in bar. Er wurde bei seiner Tat offenbar überrascht und flüchtete.
Nach Zeugenaussagen benutzte der Dieb dabei einen gestohlenen Wagen der Marke Ford (Farbe: dunkelblau, Kennzeichen unbekannt). Der Täter ist ca. 170 cm groß, schlank, ca. 25 Jahre alt und hat lange helle Haare. Er trug eine dunkle Sonnenbrille, eine schwarze Jeans-Jacke, eine hellbeige Hose und Tennisschuhe. Er flüchtete in Richtung Mannheim. Unklar ist, ob es sich beim Täter um einen Mann oder eine Frau handelt. Die polizeilichen Untersuchungen sind noch im Gange. Hinweise, die zur Verhaftung des Täters führen, werden mit 500 DM belohnt und von der Kriminalpolizei (Tel. 07 21/10 01 00) oder jeder anderen Polizeidienststelle entgegengenommen.

①  ②  ③  ④

A17

Pinguin entführt

Dunedin (AP). – Ein japanischer Tourist ist in Neuseeland der versuchten Entführung eines Pinguins angeklagt worden. Die Polizei hatte Takasiko Yamasaki (30) inmitten eines Naturschutzgebiets auf der Halbinsel Otago erwischt und in seinem Mietwagen in einer Tasche ein Exemplar des seltenen Blaupinguins entdeckt. Dem Japaner drohen eine Geldstrafe von 250 000 Neuseeland-Dollar (200 000 Mark) sowie bis zu sechs Monate Gefängnis.

Esel überholte rechts – festgenommen

Ein Esel hat in Darmstadt einen Streifenwagen der Polizei ordnungswidrig rechts überholt und ist daraufhin vorläufig festgenommen worden. Die Feststellung der Identität des Esels bereitete der Polizei zunächst Schwierigkeiten. Schließlich sei der Besitzer „nach umfangreichen Ermittlungen" gefunden und der Ausreißer sei ihm zurückgegeben worden.

A18

der Dieb	die Polizei	das Urteil
der Verdacht	das Verbrechen	die Tat
die Strafe	das Eigentum	die Flucht
das Gesetz	die Lüge	die Schuld
	die Gewalt	der Prozess
der Täter / die Täterin		das Recht
der Mord	die Untersuchung	der Beweis
die Bombe	der Zeuge / die Zeugin	
der Alarm	die Lösung	das Gericht

überraschen	verstecken	flüchten
bestrafen	beweisen	verurteilen (zu)
töten	behaupten	untersuchen
	betrügen	aufklären
	verdächtigen	verhaften
	erschrecken	

9 Grammatik

Die häufigsten Präpositionen und ihre Bedeutungen: Übersicht

→Ü12, Ü17

Eine eigenartige Stimmung herrschte unten **am** Fluss.
Studer setzte sich **an** den Tisch.
Studer stand **am** nächsten Morgen zeitig auf.

Wo?
Wohin?
Wann?

„an"

Auf dem Plakat kündigt Guru Ernesto seinen Vortrag an.
Studer steht auf und geht hinaus **auf** den Balkon.
„**Auf** dem Weg zum Fluss bin ich einem Mann begegnet, der ..."

Wo?
Wohin?
Wann?

„auf"

Ein Motorradfahrer kommt **aus** dem Park.
Studer geht **aus** Neugierde zum Fluss hinunter.

Woher?
Aus welchem Grund?

„aus"

Der Mann sagt, er wohne in einer Mühle **bei** Arcegno.
Beim Weitergehen denkt Studer über seine Entdeckung nach.
Bei gutem Wetter hat man vom Balkon aus eine gute Fernsicht.

Wo?
Wann?
Unter welcher Bedingung?

„bei"

Am ersten Urlaubstag schläft Studer **bis (um)** zehn Uhr.
Studer geht **bis zur** alten Mühle.

Bis wann?
Bis wohin?

„bis (zu)"

Das Motorrad und der Jaguar fahren **durch** das Tal.
Friedrich Glauser wurde **durch** seine Kriminalromane berühmt.
Viele Häuser sind **durch** das Hochwasser beschädigt worden.

Durch was?
Wodurch?
Wodurch?

„durch"

Studers Frau hat Karten **für** das Filmfestival besorgt.
Die Studers sind **für** eine Woche ins Tessin gefahren.

Wofür?
Für wie lange?

„für"

Der Polizei-Hubschrauber ist **gegen** Mittag gelandet.
Das Auto ist **gegen** einen Baum gefahren.

Wann ungefähr?
Wogegen? / Gegen was?

„gegen"

Der Guru wohnt **in** Tegna, **in** der Villa „Camelia".
Studer schaute (vom Balkon aus) **in** die Landschaft.
Studer träumt schlecht **in** dieser Nacht.
Das Motorrad und der Jaguar fahren **in** wilder Fahrt davon.

Wo?
Wohin?
Wann?
Wie?

„in"

Wachtmeister Studer ist ein älterer Polizist **mit** Schnurrbart.
Der Kommissar spricht viel **mit** den Leuten.
Studer fährt **mit** dem Moped des Wirts zur alten Mühle.
Studer geht (zusammen) **mit** seiner Frau ins Kino.
Das Motorrad fuhr **mit** hoher Geschwindigkeit davon.

Womit?
Mit wem?
Womit?
Mit wem?
Wie?

„mit"

Die Straße führt **nach** Arcegno.
Nach dem Essen macht sich Studer auf den Weg.

Wohin?
Wann?

Studer ist **ohne** seinen Kollegen zu der alten Mühle gefahren.
In dem Auto saß ein Mann **ohne** Bart.
Ohne Lupe kann der Kommissar die Spuren nicht erkennen.

Ohne wen?
Ohne was?
Ohne was?

„ohne"

„über"	Das Motorrad und der Jaguar fahren **über** die Brücke. Auf der Brücke, hoch **über** dem Fluss, fällt ihm ein Mann auf. Es ist ein Film **über** den Ausdruckstanz der 30er Jahre.	Über was? / Worüber? Wo? Worüber?
„um … (herum)"	Das Auto bog schnell **um** die Ecke. Das Unglück ist **um** 12 Uhr passiert. **Um** die Mittagszeit (herum) ist Studer im Dorf angekommen.	Um was? Wann? Wann (ungefähr)?
„unter"	Das Motorrad stand **unter** der Brücke. Das Auto fuhr **unter** die Brücke. **Unter** den Gästen des Restaurants waren viele Bekannte.	Wo? Wohin? Unter wem? / Worunter?
„von … (aus)" „von … bis"	Studer schaute **vom** Balkon **(aus)** in die Landschaft. Glauser lebte **von** 1896 **bis** 1938. Studer und seine Frau sitzen auf der Piazza **von** Locarno. Auf dem Foto steht: Dem Traumtänzer Friedel **von** seiner Muse.	Von wo (aus)? Von wann bis wann? Wovon? Von wem?
„vor"	Als die Speisekarte **vor** ihm liegt, fühlt Studer sich besser. Studer steht auf und geht **vor** die Tür. Der Kollege ist erst **vor** ein paar Minuten angekommen. **Vor** lauter Aufregung brachte er kein Wort heraus.	Wo? Wohin? Wann? Aus welchem Grund?
„zu"	Der kleine Weg führt **zum** Fluss.	Wohin?
„zwischen"	Das kleine Dorf liegt **zwischen** zwei hohen Bergen. **Zwischen** 1922 und 1924 machte Glauser zwei Selbstmordversuche.	Wo? Wann?

Die häufigsten Präpositionen in Präpositionalergänzungen

„an" „auf" „aus" „für" „gegen" „mit" „nach" „über" „um" „zu"	Studer **erinnert sich** wehmütig **an** sein gutes altes Motorrad. Die beiden Kollegen **starren auf** den toten Motorradfahrer. Die Brücke **besteht/ist aus** Stahl. Der Kommissar **setzt sich für** die Schwachen **ein**. Der Kommissar **kämpft gegen** das Verbrechen. Der Kommissar **beschäftigt sich** intensiv **mit** dem Fall. Er **sucht nach** dem Mörder. Studer **wundert sich über** den seltsamen Mann. Studer will **sich** zunächst nicht **um** den Fall **kümmern**. Die Bilder des Comics **passen** gut **zur** Geschichte.	Woran? / An was? Auf wen? / Worauf? Woraus? / Aus was? Für wen? / Wofür? Wogegen? / Gegen was? Womit? / Mit was? Nach wem? / Wonach? Über wen? / Worüber? Worum? / Um was? Wozu? / Zu was?

Akkusativ und/oder Dativ nach Präpositionen

PRÄPOSITIONEN MIT …		
… AKKUSATIV	… DATIV	… AKKUSATIV (wohin?) ODER DATIV (wo?)
bis durch für gegen ohne um entlang *(nachge- stellt)*	aus nach mit bei seit von zu	an auf hinter vor unter über neben zwischen in

Präpositionen (4): Präpositionen mit Genitiv (und Dativ)

→Ü5

Friedrich Glauser:
Eine Biografie

1896 in Wien geboren. Volksschule, Gymnasium. 1915 Militärdienst. „Maturität" (Abitur) in Zürich. Studium: 1 Semester Chemie, 1 Semester Romanische Philologie. Finanzielle Probleme.

1918 in Genf **wegen** eines Fahrraddiebstahls verhaftet. Im Gefängnis drogenabhängig (Morphium). **Während** einer Entwöhnungskur Versuch, mit einem gefälschten Rezept **außerhalb** des Krankenhauses Morphium zu bekommen. Verhaftung.
1921 Eintritt in die Fremdenlegion.
1922 Selbstmordversuch, Malaria.

1923 Entlassung aus der Fremdenlegion **wegen** eines Herzfehlers.
Danach **trotz** des Herzfehlers Arbeit in einer Kohlegrube in Belgien.
1924 Morphiumsucht, Selbstmordversuch, Krankenhausaufenthalt.
1925 **statt** einer Einweisung in ein Sanatorium Einweisung in die Haftanstalt Witzwil.
1926 Entlassung aus der Haftanstalt.
Innerhalb eines Zeitraums **von** vier Jahren verschiedene Arbeitsstellen als Hilfsgärtner.
1934–1938 schreibt Glauser Kriminalromane, von denen einige als Fortsetzungsromane in Zeitungen erscheinen.
Während eines Urlaubs in Italien stirbt Glauser – am 8. Dezember 1938, am Vorabend seiner Hochzeit.

wegen
während
außerhalb
wegen
trotz
(an)statt
innerhalb (von)
während

Aus dem Leben von Friedrich Glauser

„Der Glauser ist in Wien geboren und war dort auch in der Volksschule und im Gymnasium. 1915 war er beim Militär. Danach hat er in Zürich die Matura gemacht und zwei Semester lang studiert, mit ziemlichen Geldproblemen.

1918 ist er das erste Mal **wegen** einem Fahrraddiebstahl verhaftet worden. Im Gefängnis ist er dann an Drogen gekommen und abhängig geworden. **Während** einer Entwöhnungskur hat er versucht, mit einem falschen Rezept **außerhalb** vom Krankenhaus an Morphium zu kommen; dabei ist er verhaftet worden. Danach war er ab 1921 in der Fremdenlegion: Er hat die Malaria bekommen und versucht sich umzubringen. **Wegen** einem Herzfehler ist er dann 1923 entlassen worden und hat danach **trotz** seinem Herzfehler in einer Kohlegrube gearbeitet.
1924 dann wieder Morphiumsucht, Selbstmordversuch, Krankenhaus.
Statt einer Kur hat man ihm danach wieder „Knast" verordnet: In Witzwil hat man ihn eingebuchtet – bis 1926, da ist er wieder rausgekommen. Danach hat er **innerhalb** von vier Jahren mehrere Jobs als Hilfsgärtner gehabt. 1934 bis 1938 hat der Glauser dann Krimis geschrieben; von denen konnte man ein paar als Fortsetzungsromane in Zeitungen lesen.
Während einem Urlaub in Italien ist der Glauser dann gestorben – am achten Dezember 1938, am Abend vor seiner Hochzeit!"

Präposition
+
GENITIV
(eher geschrieben)
DATIV
(eher gesprochen)

Informationen zur Benutzung

Das Verzeichnis enthält alle neuen Wörter aus den Kapiteln 31–40 außer den Namen von Personen und Städten. Auch die zusätzlichen Wörter aus den Hörtexten *(Lehrbuch-Cassetten/CDs)* sind nicht in der Liste.

Diese Informationen bietet Ihnen das Wörterverzeichnis:

Wort   Artikel   Plural   Seite(n) im Lehrbuch, wo das Wort in einer bestimmten Bedeutung das erste Mal vorkommt

Abenteuer, das, -; 70

Wortakzent: __lang oder .kurz (kann bei Wörtern aus anderen Sprachen fehlen)

Fett gedruckte Wörter gehören zur Wortliste des „Zertifikats Deutsch".
Sie sind besonders häufig und wichtig für Sie. Sehr viele Wörter sind Zusammensetzungen oder Ableitungen dieser Zertifikatswörter.

Verben mit * sind unregelmäßig. Sie müssen sie deshalb immer mit den drei „Stammformen" lernen.
Eine alphabetische Liste der neuen unregelmäßigen Verben aus den Kapiteln 31–40 finden Sie auf S. 118 f.

(Pl) = Plural, Wort wird (fast) nur im Plural verwendet. Ist keine Pluralform angegeben, wird das Wort (fast) nur im Singular verwendet
(umgangsspr.) = umgangssprachlich
(österr./schweiz.) = Wort wird nur in Österreich oder in der Schweiz gebraucht oder so geschrieben
(engl.) = Wort aus dem Englischen

Manchmal folgt dem Wort eine Erklärung oder weitere Information in Klammern ( ):
Abt. (= Abteilung, die)   → der Abkürzung folgt das volle Wort mit Artikel
abwechseln (sich)   → das Verb kann mit oder ohne Reflexivpronomen vorkommen
(-)abwärts   → das Wort kann allein stehen oder Teil eines zusammengesetzten Wortes sein, z. B. *donauabwärts*

A

abbilden; 88 *portray, show*
abbrennen *; 101
abdrücken; 72 *fire, leave an imprint*
Abenteuer, das, -; 70
Abfindung, die, -en; 59 *pay off*
Abfolge, die, -n; 69 *sequence*
abfüllen; 47 *to bottle, fill*
Abgabetermin, der, -e; 49 *closing date*
abgehen * *(umgangsspr.)*; 12
Abgeordnete, der/die, -n; 35 *representative, member of parl.*
Abgrund, der, "-e; 96 *abyss*
abhängen *; 53 *unhitch, depend on*
abhauen *; 100
abholen; 19 *collect*
Ablauf, der, "-e; 60 *events*
Ablauf-Schema, das, -s/-ta; 37 *expire, wear out*
ablaufen *; 72
ablehnen; 59 *decline*
ableiten; 55 *differentiate, deduce*
Ableitung, die, -en; 93 *deduction*
abnehmen *; 15 *take off*
abpacken; 47 *pack*
abrechnen; 28 *settle up*
Abreise, die, -n; 51 *departure*
Abschiedsbrief, der, -e; 101

abschließen *; 14 *conclude*
absperren; 88 *shut off*
Absprache, die, -n; 60 *arrangement*
absteigen *; 95 *get off*
Abstieg, der, -e; 100
Absturz, der, "-e; 28
absurd; 16
Abt. (= **Abteilung**, die); 19
abtragen *; 90
(-)abwärts; 86 *downwards*
abwechseln (sich); 86 *alternate*
abwertend; 100 *pejorative*
Abwicklung, die, -en; 60 *conclusion*
Acker, der, "-; 69 *field*
Adressat, der, -en; 84 *addressee*
Adressatin, die, -nen; 84
Adversativsatz, der, "-; 85
Agentur, die, -en; 38 *agency*
Akte, die, -en; 47 *file, record*
Aktenkoffer, der, -; 47
Aktion, die, -en; 36
Aktionsplan, der, "-e; 41
aktiv; 6
Aktivsatz, der, "-e; 25
akustisch; 50 *acoustic*
aller-; 68
Allergie, die, -n; 51
allgemein; 49

Alliierten, die (Pl); 78
allmählich; 90 *gradual*
Altarm, der, -e; 90
Altbauwohnung, die, -en; 42
alternativ; 82
amoralisch; 76
Ampel, die, -n; 92
Amphibien, die (Pl); 90
Amt, das, "-er; 61
Anarchie, die, -n; 76
anbauen; 69 *grow, build on*
Anbindung, die; 78 *connection*
anblicken; 77 *gaze at*
andauern; 13 *to continue, last*
anderswo; 82 *l*
anfassen; 101 *touch, seize, feel*
anfeuern; 6 *light*
angeblich; 77 *alleged*
angehören; 82
angeln; 57
Angelrute, die, -n; 65 *fishing rod*
angemessen; 41 *adequate*
angespannt; 66 *tense*
Anglistik, die; 26
anhand; 39
anhören; 33
anklagen; 102 *charge, accuse*
anklingen *; 50 *to be reminisen, touched*

Ankreuzbogen, der, -/ "-; 36
ankündigen; 96
Ankunftszeit, die, -en; 92
anlegen; 27 *layout, put up*
Anlegestelle, die, -n; 87
anlehnen (sich); 57 *lean, rest*
anliegend; 68 *tight*
annähernd; 41 *roughly*
annehmen, sich *; 35 *look after*
anpreisen *; 28 *extol*
Ansatz, der, "-e; 67
Anschein, der; 73
anscheinend; 73
Anschluss, der, "-e; 38
ansetzen; 97
Anspielung, die, -en; 50 *illusion, in*
Ansporn, der; 31
ansprechen *; 36 *address, react, app*
Anspruch, der, "-e; 61 *claim*
anstatt; 39
Antenne, die, -n; 33
Antrag, der, "-e; 65 *request*
antreten *; 21 *begin*
anwenden; 51 *use*
Anwendung, die, -en; 51
Anwesende, der/die, -n; 76
Anwohner, der, -; 19 *resident*
anzünden; 100 *to light*

Apotheker, der, -; 51
Appartement, das, -s; 38
Aquarium, das, Aquarien; 28
Arbeitsamt, das, "-er; 58
Arbeitsbeschreibung, die, -en; 27
arbeitsfähig; 61
Arbeitsfähigkeit, die; 62
Arbeitsgericht, das, -e; 58
Arbeitslosengeld, das, -er; 61
Arbeitslosenhilfe, die; 61
Arbeitslosenversicherung, die, -en; 62
Arbeitslosigkeit, die; 79
Arbeitsoverall, der, -s; 56
Arbeitsrecht, das; 62
Arbeitsschritt, der, -e; 50
Arbeitsstelle, die, -n; 105
Arbeitsstil, der, -e; 48
Arbeitstechnik, die, -en; 50
arbeitsunfähig; 61
Arbeitsunfähigkeitsbescheinigung, die, -en; 62
Arbeitsverhältnis, das, -se; 58
Arbeitsvertrag, der, "-e; 58
Arbeitszimmer, das, -; 38
Arena, die, Arenen; 93
Argumentation, die, -en; 84
Armee, die, -n; 82
Armut, die; 69
arrogant; 81
Art, die, -en; 17
-artig; 96
Artikel, der, -; 6
Arznei, die, -en; 48
Arzneimittel, das, -; 48
Ärzte-Humor, der; 57
Assistent, der, -en; 46
Assistentin, die, -nen; 46
Atempause, die, -n; 71
Atemrhythmus, der, -rhythmen; 66
Äther, der (veraltet); 21
ätherisch; 99
Au(e), die, -n; 86 *meadow*
aua!; 93
Auenlandschaft, die, -en; 90
Auensystem, das, -e; 90
Aufbau, der; 79
Aufbaustoff, der, -e; 49
auffällig; 97 *conspicuous, loud*
auffressen *; 60 *eat up*
aufführen; 16 *put on*
aufgeben *; 69
aufgeschlossen; 36 *open minded*
aufklären; 21, 102

aufladen *; 93
auflösen, (sich); 80 *dissolve, close*
Aufmerksamkeit, die; 47
aufmuntern; 61 *cheer up*
Aufnahme, die, -n; 6 *admission*
Aufnahmearbeiten, die (Pl); 27
Aufnahmeort, der, -e; 27
aufopfern, sich; 29
aufrichten; 20 *erect*
Aufruf, der, -e; 102
Aufsatz, der, "-e; 47 *essay*
Aufschwung, der, "-e; 80 *uplift*
aufstauen; 91 *collect*
Aufstieg, der; 31
aufstützen; 101 *support*
Auftakt, der; 17
auftauchen; 98, 99 *appear*
auftreten *; 16 *appear*
(-)aufwärts; 9 *up, upwards*
aufzeichnen; 29 *draw*
Aufzeichnung, die, -en; 29
Aufzug, der, "-e; 42 *parade*
Augenschein, der; 100 *appearance*
Ausbau, der; 91 *extension*
ausbauen; 50, 91
Ausdruckstanz, der; 99
ausfliegen *; 101
ausgebucht; 87
ausgehen *; 92
ausgerechnet; 99
ausgeschlossen!; 60
ausgewogen; 46
ausgleichen *; 12 *even out*
Ausgleichstreffer, der, -; 12
ausgsteckt is (= es ist „ausgesteckt", österr.); 89
Aushilfe, die, -n; 61 *help*
Aushilfsjob, der, -s; 61
Ausklammerung, die; 23 *ignore*
ausklopfen; 45 *beat*
auslachen; 31
Ausländerbeirat, der, "-e; 17
Ausländerfeindlichkeit, die; 79
auslasten; 31 *make full use of*
auspfeifen *; 6 *boo, hiss at*
ausreichen; 60 *sufficient*
Ausreise, die; 80
Ausreißer, der, -; 102
Ausruf, der, -e; 66 *cry*
Ausrüstung, die, -en; 87 *equipment*
ausscheiden *; 31 *remove*
außerhalb; 105
aussetzen; 92 *abandon*
Aussichtsberg, der, -e; 87
Aussichtsterrasse, die, -n; 100
aussteigen *; 8

austauschen; 40
auswendig; 8
auszeichnen; 80
ausziehen *; 42
Auszug, der; 45
auszugsweise; 87 *in extracts*
Autobiografie, die, -n; 28
Automobilmanager, der, -; 26
Autor, der, Autoren; 20
Autorin, die, -nen; 72
Autoverkäufer, der, -; 26
Auwald, der, "-er; 90
Avantgardist, der, -en; 16

B
Badeunfall, der, "-e; 98
Badewanne, die, -n; 42
Badezimmer, das, -; 40
Bahn, die, -en; 50
Bahnhofsplatz, der, "-e; 22
Balance, die; 79
Ball, der, "-e; 8
Ballspielen, das; 6
Band, das, "-er; 33, 57
bandagieren; 57
bar; 60
Bargeld, das; 60 *cash*
barock; 87
Barockkloster, das, "-er; 88
basieren; 96
Basketball, der, "-e; 12
Bau, der, -ten; 16
Bauernmilch, die; 89
Bauerntochter, die, "-; 69
Bauindustrie, die; 41
Baujahr, das; 38
Baumart, die, -en; 90
Baumeister, der, -; 88
Baureferat, das, -e; 19
Baustopp, der, -s; 91
Bauwerk, das, -e; 16
beabsichtigen; 73 *intend*
beachten; 19 *observe*
beantragen; 23 *demand*
Bearbeitung, die, -en; 69
beauftragen; 55 *appoint*
bedeutend; 20 *important*
bedienen; 47
bedrohen; 90 *threaten*
beenden; 7
befassen, sich; 41 *deal with*
befehlen *; 73 *order*
Begegnung, die, -en; 99 *encounter*
Begriff, der, -e; 12
begrüßen; 12
Begrüßungsdialog, der, -e; 46
begutachten; 57 *examine*
aussteigen *; 8

beilegen; 36 *insert*
Beinbruch, der, "-e; 57
Beirat, der, "-e; 17 *advisor*
beisammen; 100
Beispielsatz, der, "-e; 34
Beitrag, der, "-e; 65
beitreten *; 76 *join*
Beitrittsgebiet, das, -e; 80
belästigen; 19 *pester*
Belgien; 105
beliefern; 53 *supply*
belohnen; 102 *reward*
Benediktinerkloster, das, "-; 88
benennen *; 16
Beobachterteam, das, -s; 31
Beobachter, der, -; 41
Beobachterin, die, -nen; 41
beraten *; 59
Berater, der, -; 68
Berechtigung, die; 19 *right*
bereitliegen *; 12
berücksichtigen; 19 *consider*
Berücksichtigung, die; 65
beruflich; 31
berühren; 67, 86
Besatzungszone, die, -n; 78
beschädigen; 103 *damage*
Bescheidenheit, die; 40
Bescheinigung, die, -en; 62
beschimpfen; 76
beschließen *; 82
beschreiben *; 20
Beschwerden, die (Pl); 49
beschweren, sich; 39
beschwingt; 50
besenrein; 45
besetzen; 91
besichtigen; 42 *have a look at*
Besichtigung, die, -en; 39, 88
Besichtigungstermin, der, -e; 38
besiedeln; 87 *populate*
besiegen; 95 *defeat*
besitzen *; 46
Besitzer, der, -; 102
Besitzerin, die, -nen; 102
besorgen; 89 *get, attend*
Besprechungsnotiz, die, -en; 49
Besserung, die; 57
Besserverdienende, der/die, -n; 37
Bestandteil, der, -e; 39
bestehen *; 11
bestrafen; 70
Bestseller, der, -; 27
betragen *; 39 *amount to,*
sich betragen to behave

107

einnehmen *; 51
einprägsam; 50 *easily remembered*
einreichen; 61
einrichten; 40, 91
Einrichtungsgegenstand, der, "-e; 40
Einsatz, der "-e; 65
einschränken; 82
einsetzen; 66
einst; 68
einstellen; 73
Einweisung, die, -en; 105
einwickeln; 57
Einzelheit, die, -en; 27
Einzeltraining, das; 8
einziehen *; 42
Eisentor, das, -e; 100
Eiskunstlaufen, das; 7
Eiskunstläufer, der, -; 7
Eiskunstläuferin, die, -nen; 7
Eislaufen, das; 8
Eislaufplatz, der, "-e; 22
Eisvogel, der, "-; 90
Ekstase, die, -n; 76
elektrisch; 56
Elektro-; 42
Elektroinstallateur, der, -e; 56
Elektroinstallateurin, die, -nen; 56
Element, das, -e; 10
Ellbogen, der, -; 57
Empfang, der; 33
empfangen *; 33
Empfangsdame, die, -n; 46
emporschnellen; 21
enden; 85
endgültig; 7 *conclusive*
Entdeckung, die, -en; 103
Entfernung, die, -en; 21
Entführung, die, -en; 102
entgegenkommen *; 97
entgegennehmen *; 102
entgegenstrecken; 99
entgegnen; 69
enthalten, sich *; 35 *contain*
Entlassung, die, -en; 105
Entlastung, die; 23
entscheiden (sich) *; 8
entschuldigen (sich); 92
entsetzlich; 21
entsprechen *; 92
Entstehung, die; 96
enttäuschen; 72
entweder – oder; 11
Entwicklungsprozess, der, -e; 48
Entwöhnungskur, die, -en; 105
Entwurf, der; "-e; 41

Enzyklopädie, die, -n; 76
erarbeiten; 10
Erarbeitung, die; 48
Erbauung, die (≈ der Bau, seltene Bedeutung); 16
erblicken; 21
Erbrechen, das; 51
Erdteil, der, -e; 18
Erdton, "-e; 40
Erfahrung, die, -en; 9
Erfolg, der -e; 11
erfolgen; 16
erfolgreich; 7
erfolgversprechend; 54
Erforschung, die; 46
erfüllen; 41
Erfüllung, die; 65
erhalten *; 20
erhältlich; 19
erheben *; 65
Erhebung, die, -en; 41, 87
erhöhen; 46
Erinnerungsbild, das, -er; 96
erkundigen, sich; 55
erleiden *; 59
Erlösung, die; 67
Ermittlung, die, -en; 96
ernüchtert; 80
erotisch; 67
erpressen; 88
erregt; 21
erreichbar; 77
Ersatz, der; 58
Ersatzform, die, -en; 25
erschallen; 21
erschweren; 91
ersetzen; 75
erteilen; 58
Erwartung, die, -en; 41
Erweiterung, die; 79
erwerben *; 94
erwischen; 57
Erzähler, der, -; 66
Erzählerin, die, -nen; 66
Erzählstunde, die, -n; 70
Erzählung, die, -en; 80
Erzieher, der, -; 38
Erzieherin, die, -nen; 38
Esel, der, -; 82
Essay, der/das, -s; 84
Essgewohnheit, die, -en; 51
Esszimmer, das, -; 42
Etappe, die, -n; 87
etc. (= et cetera); 19
Europäische Union, die; 79
evangelisch; 36
Ex-; 28
Exemplar, das, -e; 102
Exerzierplatz, der, "-e; 22

Existenz, die, -en; 60
exklusiv(e); 49
Exotik, die; 50
Expertin, die, -nen; 48
Export, der, -e; 60
extern; 48
extra; 36
extrem; 41

F
Fabel, die, -n; 76
Fabelwesen, das, -; 17
-fach; 52
Fachliteratur, die; 47
Fachzeitschrift, die, -en; 48
Faden, der, "-; 67
fähig; 73
Fahrpreis, der, -e; 87
Fahrraddiebstahl, der, "-e; 105
Fahrradverleih, der, -e; 87
Fahrstuhl, der, "-e; 38
Fall, der, "-e; 56
fallen *; 12
fällen; 91
fällig; 60
falls; 37
falsch; 105
fälschen; 105
Familienheurige, der, -n; 89
Faschist, der, -en; 82
Faschistin, die, -nen; 82
faschistisch; 82
Fassade, die, -n; 87
Feature, das (engl.), -s; 37
Feierabend, der, -e; 57
feindselig; 77 *hostile*
Fensterplatz, der, "-e; 22
Fensterrahmen, der, -; 40
Ferienstimmung, die; 96
Fernglas, das, "-er; 100
Fernsicht, die; 88
fesseln; 67
festlegen; 27 *establish*
Festlegung, die, -en; 48
Feststellung, die, -en; 102
feucht; 98 *damp*
Feuerstuhl, der, "-e; 97
Feuerton, "-e; 40
Figur, die, -en; 8, 66
Fiktion, die, -en; 96
Filmemacher, der, -; 16
Filmfestival, das, -s; 99
finanziell; 49
finden (sich) *; 79
Fischart, die, -en; 90
Fitnesscenter, das, - (engl.); 70
Flasche, die, -n; 47

Fleiß, der; 7
fliehen *; 82
Fließstrecke, die, -n; 90
flimmern; 100 *shimmer*
flugs; 21
Fluss-Au(e), die, -n; 90
Flussbett, das, -en; 90 *riverbed*
Flusskraftwerk, das, -e; 91
Förderung, die, -en; 41
formell; 65
formieren, sich; 79
fortschrittlich; 82 *progressive*
Fortschrittliche, der/die, -n; 82
Fortsetzung, die, -en; 77
Fortsetzungsroman, der, -e; 105
Fotoapparat, der, -e; 96
Fotograf, der, -en; 70
Fotografie, die, -n; 101
Fotografin, die, -nen; 70
Fragment, das, -e; 96
frankieren; 36 *stamp*
Frauenfigur, die, -en; 67
Freibad, das, "-er; 87
Freizeitgesellschaft, die; 96
Freizeitsport, der; 12
Freizeitvergnügen, das, -; 7
Freizeitzentrum, das, -zentren; 87
fremdartig; 96
Fremdenfeindlichkeit, die; 79
Fremdenlegion, die; 105
Fremdsprachenlernen, das; 9
Fremdwahrnehmung, die, -en; 84
Fresko, das, Fresken; 88
Friedenspolitik, die; 79
Friedhofsmauer, die, -n; 80
frieren *; 85
Frist, die, -en; 39
fristgemäß; 58
frösteln; 61
fruchtbar; 86
frühzeitig; 27
führen; 12
Führung, die; 78
Führungsstil, der; 79
Funktionsverb, das, -en; 65
Funktionsverb-Gefüge, das, -; 65
furchtbar; 32
Fußballplatz, der, "-e; 12
Fußballspiel, das, -e; 33
Fußballverein, der, -e; 18

G
Gang, der; 102
ganzheitlich; 28 *integral*

Garage, die, -n; 39
Garantie, die, -n; 63
Garnitur, die, -en; 60
Gartenhäuschen, das, -; 56
Gas, das; 42
Gasthaus, das, "-er; 92
Gastmahl, das, "-er/-e; 20
Gastronomie, die; 17
Gaststätte, die, -n; 88
Gebiet, das, -e; 87
gebrauchen; 40
Gebrauchtwagen, der, -/"-; 60
Gebrüder, die (Pl); 69
gebürtig; 28
gedacht sein; 49
Gedächtnis, das; 16
geehrt; 29
gefächert; 46
gefährden; 90
Gefängnis, das, -se; 69
Gefäß, das, -e; 40 *vessel*
Gefüge, das, -; 65 *Structure*
gegenseitig; 28 *mutual*
Gegenwart, die; 13
Gegner, der, -; 6
Geheimnis, das, -se; 40
gehorsam; 82
Geist, der; 69
geistig; 26
Geländefahrzeug, das, -e; 60
Geländewagen, der, -/"-; 60
gelb-rötlich; 88
Geldproblem, das, -e; 105
Geldstrafe, die, -n; 102
Gelegenheit, die, -en; 29
gemäß; 39
Gemeinsamkeit, die, -en; 8
Genehmigung, die, -en; 19 *approval*
Generaldirektor, der, -en; 26
Genesung, die; 58
genial; 72
Genitivergänzung, die, -en; 35
genügen; 9
Geograf, der, -en; 86
Geografin, die, -nen; 86
Gepäck, das; 92
Geranie, die, -n; 40
Gericht, das, -e; 58
gering; 91
Germanistik, die; 26
Gesamtfläche, die, -n; 38
Gesamtumsatz, der; 47
Gesang, der, "-e; 17
geschäftlich; 49
Geschäftsbrief, der, -e; 49
Geschäftssitz, der, -e; 46

Geschehen, das; 13
Geschenkpapier, das, -e; 57
Geschick, das, -e; 77
geschickt; 70
Geschirrspüler, der, -; 38
Geschrei, das; 93
Geschwindigkeit, die, -en 8
gesetzlich; 39
gesichert; 36
Gesprächspartner, der, -; 34
Gesprächspartnerin, die, -nen; 34
Gesprächssendung, die, -en; 29
Geste, die, -n; 66
Gestell, das, -e; 40
Gewerkschaft, die, -en; 58
Gewerkschaftsmitglied, das, -er; 58
gewiss; 48
gewohnt; 12
gezielt; 11 *purposeful*
Ghana; 67
Gier, die; 70
Gipfel, der, -; 41 *summit*
Gipsdecke, die, -n; 40
Gipspanzer, der, -; 57
Gipsverband, der, "-e; 57
glatt; 72
gleich; 19
Gleichberechtigung, die; 82
Gleichgesinnte, der/die, -n; 76
gleichmäßig; 32 *even, regular*
Gleis, das, -e; 92
gleiten *; 12, 99
global; 79
Glocke, die, -n; 16
Glockenspiel, das, -e; 16
Glücksspiel, das, -e; 94
Gold, das; 69
Golfplatz, der, "-e; 22
gotisch; 16
Grafik, die, -en; 41
Grafiker, der, -; 96
Grafikerin, die, -nen; 96
Granulat, das, -e; 52
Gring, der (schweiz.); 96
Größe, die, -n; 72
Großauftrag, der, "-e; 58
großkotzig; 81
grotesk; 16
gründen; 46
Gründlichkeit, die; 31
Grundmiete, die, -n; 38
Grundriss, der, -e; 40
Grundsteinlegung, die, -en; 16
Gründung, die, -en; 28

Grüne Lunge, die; 90
Grüne, das; 37
gruppieren; 33
gültig; 13 *valid*
Gummianzug, der, "-e; 97
Gunst, die; 94 *favour*
Gürtellinie, die; 32
Guru, der, -s; 96
Gute Besserung!; 57

H
ha!; 98
Habitat, das, -e; 41
Habsburgergelb, das; 88
Hafen, der, "-; 92
Haftanstalt, die, -en; 105
Hahn, der, "-e; 82
Hai, der, -e; 57
halb-; 70
Halbinsel, die, -n; 102
Halbkreis, der, -e; 77
Halbtagsarbeit, die, -en; 60
Haltung, die;, -en 77
Halunke, der, -n; 95
Handel, der; 20
Handlungsablauf, der, "-e; 60
Hanf, der; 40 *hemp*
Hängematte, die, -n; 40
Häufigkeit, die; 34
Hauptargument, das, -e; 27
Hauptgasse, die, -n; 89
Hauptinformation, die, -en; 8
Hauptperson, die, -en; 68
Hauptplatz, der, "-e; 22
Hauptsache, die, -n; 93
Hauptsitz, der, -e; 46
hausgemacht; 89
Hausherr, der, -en; 36
Hausmeister, der, -; 42
Hausmeisterin, die, -nen; 42
Hausmittel, das, -; 51
Hausordnung, die, -en; 39
Haustür, die, -en; 39
heften; 20
he!; 99
heilen; 50 *cure*
heilig; 88 *holy*
Heimatplanet, der, -en; 70
heimatverbunden; 81
Heimfahrt, die, -en; 21
heimisch; 90
heimkommen *; 39
Heimplatz, der, "-e; 22
Heimweg, der, -e; 98
heißen *; 8
Heizkosten, die (Pl); 39
Heizung, die, -en; 42

Heldin, die, -nen; 70 *hero*
Helikopter, der, -; 97
hellbeige; 102
hellwach; 99
her-; 73
herab; 88
herabschauen; 88
herausbringen *; 104
Herausgeber, der, -; 72
Herausgeberin, die, -nen; 72
heraushören; 12
herauskratzen; 96
herbeischaffen; 69 *bring, produce*
herbringen *; 73
Herbstblatt, das, "-er; 40
hereinplatzen; 99
Herrscher, der, -; 70 *ruler*
Herrscherin, die, -nen; 70
Hersteller, der, -; 40
Herstellerin, die, -nen; 40
herumsprechen, sich *; 98
Hervorhebung, die, -en; 23
Herzfehler, der, -; 105
Heurige, der, die -n; 89
hiermit; 49
Hilflosigkeit, die; 16
Hilfsgärtner, der, -; 105
hin-; 96
hin und her; 6
Hin- und Rückfahrt, die, -en; 87
Hinfahrt, die, -en; 87
hinkriegen; 60
Hinterhof, der, "-e; 87
hinterlassen *; 101
Hintern, der, -; 68
Hinweis, der, -e; 29
hinweisen *; 57
hochachtungsvoll; 39
Hochdeutsch, (das); 30
Hochsaison, die, -s/-en; 87
Höchstpreis, der, -e; 60
Hochwasser, das, -; 90
hocken; 101 *crouch, squat*
Hollywood-Star, der, -s; 70
Holzschnitt, der, -e; 96
Holztäfer, das (schweiz.); 40
Honorar, das, -e; 49
horchen; 71 *eavesdrop*
Hörerpost, die; 27
Hörsaal, der, -säle; 67
Hörtext, der, -e; 71
Hosentasche, die, -n; 21
Hospital, das, -e/"-er; 38
Hotel-Rezeption, die, -en; 92
Hotelbalkon, der, -s/-e; 96
Hubschrauber, der, -; 97
Hüfte, die, -n; 68
Humor, der; 57

Moraltante, die, -n; 76
Mord, der, -e; 99
Morgenmantel, der, "-; 61
Moritat, die, -en; 94
Morphium, das; 105
Morphiumsucht, die; 105
Mörser, der, -; 69
Most, der, -e; 89
Motivation, die, -en; 6
motivieren; 31
Motorrad, das, "-er; 97
Motorradfahrer, der, -; 100
Motorradunfall, der, "-e; 57
Motorschaden, der, "-; 60
Müdigkeit, die; 49
Mühle, die, -n; 99
Müllkübel, der, -; 39
multi-kulti (= multikulturell); 17
Multi-Kulti-Fest, das, -e; 17
multikulturell; 17
munter; 52
murmeln; 96
Muse, die, -n; 101
Musiksendung, die, -en; 26
Musikstück, das, -e; 72
musizieren; 19
Muskel, der, -n; 70
Müsli, das, -; 51
Muße, die; 31
Mut, der; 6
mutig; 53
Mutter Gottes, die; 20

N

Nachbarland, das, "-er; 72
Nachbartisch, der, -e; 71
Nachbereitung, die; 27
Nachdenkpause, die, -n; 91
Nachfeld, das; 23
nachfragen; 49
nachher; 71
Nachkriegs-Deutschland; 80
Nachmieter, der, -; 38
Nachoperation, die, -en; 57
nächtlich; 39
Nachttisch, der, -e; 57
Nachwuchs, der; 7
Nachwuchsgruppe, die, -n; 7
nah und fern; 38
Nahrungsergänzungsmittel, das, -; 46
Nahrungsmittel, das, -; 46
Namensfindung, die; 49
nasaliert; 50
Nashorn, das, "-er; 76
national; 77
Nationalpark, der, -s; 90

Naturablauf, der, "-e; 90
Naturlandschaft, die, -en; 91
Naturschutzgebiet, das, -e; 102
Nebenarm, der, -e; 90
Nebenkosten, die (Pl); 38
Nebenstraße, die, -n; 87
Nebentisch, der, -e; 98
Nebenverdienst, der, -e; 56
Netz, das, -e; 62
Neubau, der, -ten; 42
Neubauwohnung, die, -en; 42
Neuen Länder, die (Pl); 80
Neuentwicklung, die, -en; 48
Neugierde, die; 103
neugierig; 72
Neuseeland; 102
neutral; 88
Nichteinhaltung, die; 39
Nichterfüllung, die; 59
nirgends; 21 nowhere
Nische, die, -n; 40
noch mal; 94
nochmals; 9
Nomen, das, -; 65
nominal; 84
Nominativergänzung, die, -en; 34
Norm, die, -en; 81
notleidend; 37
nunmehr; 80
Nutzen, der; 48

O

Oberbegriff, der, -e; 42
Obergeschoss, das, -e; 38
Oberösterreich; 87
Oberschenkel, der, -; 57
offenbar; 102
Öffentlichkeit, die; 37
Öffentlichkeitsarbeit, die; 46
Öffnungspolitik, die; 79
Ökologe, der, -n; 82
Ökologin, die, -nen; 82
ökologisch; 77
Olympiabesuch, der, -e; 21
Olympiade, die, -n; 21
olympisch; 21
olympischen Spiele, die (Pl); 21
Oma, die, -s; 37
Omi, die, -s (= Oma); 37
Opposition, die, -en; 79
ordnungswidrig; 102
Orgel, die, -n; 87
Ossi, der, -s (= der Ostdeutsche); 80
Ostdeutschen, die (Pl); 79

Ostdeutschland; 79
östlich; 72
Overall, der, -s; 56

P

Papierkorb, der, "-e; 77
Paradiesvogel, der, "-; 30
Paragraf, der, -en; 39
parallel; 12
Parallele, die, -n; 8
Parkplatz, der, "-e; 22
Parlamentarier, der, -; 82
Parlamentssaal, der, -säle; 77
passiv; 6
Passiv-Ersatzform, die, -en; 25
passivfähig; 24
Passivsatz, der, "-e; 25
Patientin, die, -nen; 62
pausenlos; 71
Pech, das; 94 bad luck
Pedant, der, -en; 81
Pedantin, die, -nen; 81
Pension, die, -en; 92
per du sein; 48
Percussion, die; 17
perfektiv; 14
Personalausweis, der, -e; 19
Personenbeschreibung, die, -en; 83
Personendokumentation, die, -en; 27
Perspektive, die, -n; 80
Pfaffe, der, -n (= Pfarrer, *abwertend*); 76
Pfarrkirche, die, -n; 87
Pflanzenart, die, -en; 90
pflanzlich; 48
Phantom, das, -e; 99
pharmazeutisch; 46
Philologie, die; 105
Philosophie, die; 67
Physis, die; 67
Picknick, das, -s; 89
Pinguin, der, -e; 102
Pionier, der, -e; 90
Plakat, das, -e; 6
Platzangst, die; 18 claustrophobia
Platzanweiser, der, -; 22
Platzbedarf, der; 22
Plätzchen, das, -; 22
platzen; 22
Platzersparnis, die; 22
Platzkonzert, das, -e; 22
Platzmangel, der; 22
Platzreservierung, die, -en; 22

Podest, das, -e; 31
Podiumsdiskussion, die, -en; 17
pokern; 94
Polaroidfoto, das, -s; 98
Polizeidienststelle, die, -n; 102
Polizeieinsatz, der, "-e; 91
polizeilich; 102
populär; 70
prachtvoll; 86 splendid
prägen; 86 shape
prahlen; 81 boast
Präparat, das, -e; 46
Präpositionalergänzung, die, -en; 34
präsent; 77
präsentieren; 6
Präsident, der, -en; 26
Präsidentin, die, -nen; 26
präzisieren; 49
Präzision, die; 8
Pressearbeit, die; 27
Presseausschnitt, der, -e; 29
Pressekonferenz, die, -en; 77
pressen; 89
Pressetext, der, -e; 27
Prinz, der, -en; 7
Prinzessin, die, -nen; 7
Priorität, die, -en; 15
privilegiert; 37
problemlos; 29
Produkt-Rangliste, die, -n; 47
Produktbeschreibung, die, -en; 51
Produktion, die, -en; 27
Produktionsarbeiten, die (Pl); 27
Produktionsort, der, -e; 48
Produktionsstätte, die, -n; 55
Profi, der, -s; 32
Profi-Tipp, der, -s; 32
Profisprecher, der, -; 32
Profisprecherin, die, -nen; 32
profitieren; 7
proklamieren; 85
promovieren; 36
Prosa, die; 76
Protestform, die, -en; 79
protzig; 81
Prozess, der, -e; 61
prozessieren; 65
prüfen; 47
Prüfer, der, -; 31
Prüferin, die, -nen; 31
Prüfling, der, -e; 31
Prüfungszentrum, das, -zentren; 11
Pulver, das, -; 51 powder

113

schwinden *; 95
Schwung, der; 50
schwungvoll; 101
Seehöhe, die, -n; 87
seelisch; 46 *Spiritual*
sehen (sich) *; 79
seinerseits; 101
seither; 76
-seits; 101
Sekretär, der, -e; 40
Sekretariat, das, -e; 27
Sektor, der, Sektoren; 78
Selbstbewusstsein, das; 31
Selbstmordversuch, der, -e; 104
selbstverständlich; 15
Selbstwahrnehmung, die, -en; 84
Semester, das, -; 105
Seminarraum, der, "-e; 67
Sendepult, das, -e; 27
Senfgurke, die, -n; 89
senior; 77
senken; 20
seriös; 76
Sheriff, der, -s (engl.); 94
Sicherheitspolitik, die; 79
-silbig; 50
sinken *; 57
Sinn, der, -e; 50
Sinnesfreud(e), die, -n; 95
sinnieren; 100
sinnlich; 6 *sensual*
Situationsanalyse, die, -n; 48
Sitzplatz, der, "-e; 22
Sitzung, die, -en; 27
Sitzungsraum, der, "-e; 46
skeptisch; 27
Ski, der, -er/-; 7
Skizze, die, -n; 40
skizzieren; 69 *sketch*
so weit sein; 12
Solarium, das, Solarien; 87
Solidaritätssteuer, die, -n; 80
Solidität, die; 31
Sommerzimmer, das, -; 40
Sonnenlicht, das; 36
sonnig; 40
Souterrain, das; 38
Souterrain-Wohnung, die, -en; 38
Souvenir, das, -s; 92
sowohl – als auch; 7
sozial; 56
Sozialamt, das, "-er; 62
Sozialdemokrat, der, -en; 82
Sozialdemokratin, die, -nen; 82
sozialdemokratisch; 82

Sozialhilfe, die; 62
Sozialist, der, -en; 82
Sozialistin, die, -nen; 82
spähen; 100 *peep*
spalten; 78 *split*
Spannung, die, -en; 66
spätestens; 39
Spaziergang, der, "-e; 100
Spedition, die, -en; 38
Speicher, der, -; 90
Speisekarte, die, -n; 92
Spekulant, der, -en; 76
Spende, die, -n; 91
spezialisieren; 49
spezifisch; 50
Spiel, das, -e; 6
Spielberechtigung, die, -en; 19
spielerisch; 12
Spielfeld, das, -er; 12
Spielplatz, der, "-e; 22
Spielsachen, die (Pl); 40
Spieltag, der, -e; 18
Spielwerk, das, -e; 16
Spielzug, der, "-e; 8
Spießer, der, -; 76
spießig; 81
Spinne, die, -n; 70
spinnen *; 67
Spitze, die, -n; 7, 20
Sport treiben *; 6
Sportart, die, -en; 6
Sportartikel, der, -; 6
Sportausrüstung, die; 6
Sportlehrer, der, -; 7
Sportlehrerin, die, -nen; 7
Sportler, der, -; 7
Sportler-Leben, das; 7
Sportlerin, die, -nen; 7
Sportplatz, der, "-e; 22
Sportredakteurin, die, -nen; 7
Sportzeitschrift, die, -en; 7
Sprachenlernen, das; 14
Sprachprobleme, die (Pl); 49
Sprachprüfung, die, -en; 11
Sprachschule, die, -n; 11
Sprachwissenschaftler, der, -; 69
Sprachwissenschaftlerin, die, -nen; 69
Sprachzeugnis, das, -se; 10
Spray, der/das, -s; 80
Spray-Buchstabe, der, -n; 80
Sprechgeschwindigkeit, die, -en; 46
spreizen; 101
Sprung, der, "-e; 99
Spurenelement, das, -e; 51

Staatengemeinschaft, die, -en; 78
staatlich; 79
Staatsform, die, -en; 79
staatsrechtlich; 80
Stadtbewohner, die, -; 41
Stadtbewohnerin, die, -nen; 41
städtisch; 41
Stadtmusikant, der, -en; 82
Stadtpolizei, die; 102
Stammkneipe, die, -n; 21
Standplatz, der, "-e; 19
Stapel, der, -; 77
Stärke, die, -n; 53
stärken; 49
Stärkung, die; 51
Stärkungsmittel, das, -; 49
starren; 20
Statement, das, -s (engl.); 10
Stationsschwester, die, -n; 57
Stätte, die, -n; 21 *place*
stattlich; 20 *magnificent*
Statue, die, -n; 19
Stausee, der, -n; 88
stehen, hinter etwas *; 91
stehlen, sich *; 101
Stehplatz, der, "-e; 22
steil; 86 *steep*
Stein, der; 90
Stellenmarkt, der; 60
Steuer, die, -n; 80
Steuerberater, der, -; 26
Stichpunktzettel, der, -; 27
Stiege, die, -n; 93
Stift, das, -e; 87
Stiftskirche, die, -n; 88
still; 21
stillhalten *; 71
Stimme, die, -n; 35
Stimmführung, die; 71
stöhnen; 57 *groan*
stolpern; 101 *stumble*
stopfen; 57 *stuff*
Stößel, der, -; 69
stoßen *; 26
Straftat, die, -en; 102
Strahl, der, -en; 68 *ray*
Straßenkünstler, der, -; 19
Straßenkünstlerin, die, -nen; 19
Strategie, die, -n; 59
Strecke, die, -n; 86
streichen *; 50 *paint*
Streifenwagen, der, -/"-; 102
Strom, der, "-e; 86 *electricity*
Stromanschluss, der, "-e; 41

Stromkilometer, der, -; 86
Strömung, die, -en; 88
Stromverbrauch, der; 91
Stromwirtschaft, die; 91
Struktur, die, -en; 46
Struktur-Merkmal, das, -e; 84
Studie, die, -n; 81
Studienplatz, der, "-e; 22
stumm; 58 *dumb*
Stürmer, der, -; 12
stürzen; 8
subjektiv; 88
Subkultur, die, -en; 76
Suchanzeige, die, -n; 38
Suchaufgabe, die, -n; 97
Suchfrage, die, -n; 52
Sucht, die, "-e; 105
südamerikanisch; 50
südlich; 40
Swimmingpool, der, -s (engl.); 99
Symboltier, das, -e; 90
Symmetrie, die, -n; 50

T
tabellarisch; 60
Tabellenplatz, der, "-e; 22
Tagesprogramm, das, -e; 87
Tal, das, "-er; 71 *valley*
Talkshow, die, -s (engl.); 20
Tankstelle, die, -n; 92
Tänzer, der, -; 99
Tänzerin, die, -nen; 99
Tat, die, -en; 102
Tatendrang, der; 76
Täter, der, -; 102
Täterin, die, -nen; 102
tatkräftig; 76
Tatsache, die, -n; 31
tatsächlich; 72 *actually*
taubenblau; 40
Taucher, der, -; 99
Taucheranzug, der, "-e; 99
Taucherin, die, -nen; 99
tauschen; 20
Teamsportart, die, -en; 13
Techniker, der, -; 33
Technikerin, die, -nen; 33
Teenager, der, - (engl.); 70
Teezeremonie, die, -n; 40
Teilbedeutung, die, -en; 62
teilmöbliert; 38
Teilnahme, die, -n; 11
teilweise; 8
Teilzeit, die; 60
Temporalangabe, die, -n; 13
Tennisplatz, der, -"e; 22
Tennisschuhe, die (Pl); 102
Terminierung, die, -en; 58

Terrakotta, die, -kotten; 40
Terrasse, die, -n; 86
Territorium, das, Territorien; 80
Tessin, das; 96
Teufel, der, -; 61
Text-Zusammenhang, der, "-e; 83
Textabschnitt, der, -e; 80
Textsorte, die, -n; 84
Textzeile, die, -n; 40
Theaterstück, das, -e; 72
Themendokumentation, die, -en; 27
Themenliste, die, -n; 29
Thüringen; 80
Tiefgarage, die, -n; 38
Tiefgaragenplatz, der, "-e; 38
Tier, das, -e; 77
Tierart, die, -en; 90
Tierliebe, die; 80
Tierwelt, die; 77
Tischtennis, das; 6
Tochterunternehmen, das, -; 46
Töff, der/das, - (schweiz.); 97
Töff-Gefühl, das; 101
tolerant; 79
Toleranz, die; 81
Ton, der, "-e; 40
Torchance, die, -n; 12
Tormann, der, "-er; 12
Torszene, die, -n; 6
tot; 28
Tote, der/die, -n; 99
Tourismusort, der, -e; 87
Touristen-Information, die, -en; 92
Tracht, die, -en; 17
Trachtenumzug, der, "-e; 17
traditionell; 82
trainieren; 6
Trainingsplan, der, "-e; 10
Transistor, der, -en; 18
Transport, der, -e; 38
transportieren; 95
Traube, die, -n; 89
Traum-Haus, das, "-er; 40
Träumespinner, der; 40
Traumland, das, "-er; 77
Traumtänzer, der, -; 101
treffen *; 67
Treffen, das, -; 49
treffend; 72
Treffer, der, -; 6
treiben *; 6
trendy (engl.); 49

Treppchen, das, -; 7
treu; 82
Trinkwasserknappheit, die; 41
trocknen; 39
Trommelcombo, die, -s; 17
Trotz, der; 21
trotzig; 77
trüb; 20 *bleak*
Trümmerfeld, das, -er; 57
Truppe, die, -n; 13
turbulent; 96
TÜV, der (= der Technische Überwachungsverein); 60

U
Übelkeit, die; 51 *nausea*
überaus; 37 *extremely*
Überempfindlichkeit, die, -en; 51
überfliegen *; 71
überführen; 60
Überlassung, die; 39
überlasten; 61
überlisten; 70
übermorgen; 43
übernächst-; 9
Übernahme, die, -en; 38
übernehmen *; 38
Überprüfung, die, -en; 100
Überraschung, die, -en; 17
Überschwemmung, die, -en; 90
Übersiedlung, die; 80
übertragen *; 6
überziehen *; 40
Überziehungskredit, der, -e; 60
übrig; 36
übrig lassen *; 36
Übungsplatz, der, "-e; 22
Umarmung, die, -en; 40
umbringen *; 101
umfallen *; 8
Umfrage, die, -n; 79
umgangssprachlich; 100
umgeben *; 68
umgraben *; 69
umkehren; 41
Umsatz, der, "-e; 47
Umschlag, der, "-e; 36
Umschulung, die, -en; 61
Umstellung, die, -en; 51
Umsturz, der, "-e; 76
umweltgerecht; 41
Umweltorganisation, die, -en; 29
Umweltproblem, das, -e; 29
umziehen *; 42

umzingeln; 76
Umzug, der, "-e; 17, 31
Umzugsfachspedition, die, -en; 38
UN, die (Pl) (= United Nations = die Vereinten Nationen); 41
UN-Städtegipfel, der, -; 41
unbeliebt; 81
und dergleichen; 20
Unentschieden, das, -; 12
unentschieden; 12 *undecided*
unerfüllbar; 74
unerfüllt; 74
unfähig; 62
Unfähigkeit, die; 62
Ungeduld, die; 76
unheimlich; 96
Union, die, -en; 79
unklar; 62
unkonventionell; 26
unlängst; 20
Unterarm, der, -e; 101
untereinander; 48
Unterhaltungssendung, die, -en; 33
Unterkunft, die, "-e; 87
Unterrichtsstunde, die, -n; 11
unterstellen; 81
untersuchen; 53
Untersuchung, die, -en; 47
Untertan, der, -en; 67
untertauchen; 82
unvergessen; 16
unverheiratet; 68
unzählig; 20
Unzufriedenheit, die; 78
unzumutbar; 41
Urlaubstag, der, -e; 103
Urteil, das, -e; 102

V
Variante, die, -n; 32
verabschieden, sich; 47
verachten; 77
Verächter, der, -; 76
Verächterin, die, -nen; 76
veranstalten; 26
verarbeiten; 32
Verband, der, "-e; 57
Verbativergänzung, die, -en; 35
verbinden *; 57
Verbindung, die, -en; 42
verbleiben *; 90
Verbrauch, der; 91
Verdacht, der, -e; 102
verdächtig; 97 *suspicious*

verdächtigen; 102
verdeutlichen; 66 *clarify*
verdoppeln (sich); 41 *double*
verdrängen; 40 *drive out*
Verehrung, die; 69 *admiration*
Vereinbarung, die, -en; 59
vereinen; 80
vereinigen; 80
Vereinten Nationen, die (Pl); 41
Verfahren, das, -; 51 *action*
verfallen *; 21 *decay*
verfassen; 77 *draw up*
verfrüht; 80 *premature*
Verfügung, die; 7
vergittert; 100 *barred*
Vergleichsbasis, die; 41
Vergleichssatz, der, "-e; 74
vergnüglich; 67 *enjoyable*
vergolden; 20
verhaften; 102 *arrest*
Verhaftung, die, -en; 102
verhalten, sich *; 30 *restrained*
Verhandlung, die, -en; 59, 61
Verhandlungssache, die, -n; 38
Verkaufskünstler, der, -; 26
Verkaufsmanager, der, -; 48
Verkaufsumsatz, der, "-e; 47
Verkehrsbüro, das, -s; 92
Verkehrsverbindung, die, -en; 42
verklagen; 62 *sue*
verkörpern; 81 *embody*
verlängern (sich); 39
Verlauf, der, "-; 61
verlaufen *; 78 *proceed*
verlegen; 56 *transfer*
Verleih, der, -e; 87 *hire*
Verletzte, der/die, -n; 6
Verletzung, die, -en; 7
verlieben, sich; 70
Verlust, der, -e; 61
vermarkten; 31
vermieten; 38 *rent*
Vermieter, der, -; 36
Vermieterin, die, -nen; 36
Vermietung, die, -en; 38
vermitteln; 9
Vermittlung, die, -en; 37
veröffentlichen; 76
verordnen; 91
Verordnung, die, -en; 77
Verpackungsmaterial, das, -ien; 48
verpflichten; 77 *oblige*
verscheuchen; 99 *scare away*

Versicherungsagentur, die, -en; 38
versinken *; 99
versorgen; 78 *look after*
Versorgung, die; 41
Verspätung, die, -en; 92
versprechen, sich *; 30
Versprechen, das, -; 14
verspüren; 31 *be conscious of*
verständigen, sich; 11 *advise, notify*
verstauen; 56
verstohlen; 94
versuchen; 36
Verteidiger, der, -; 12
vertiefen; 26
Vertiefung, die; 79
vertreiben *; 46
Vertrieb, der; 53
verurteilen; 102
Verwaltung, die, -en; 19
Verwaltungsgebäude, das, -; 47
verwandeln; 80
Verwandlung, die, -en; 67
verwirrt; 80
verwundert; 101
Verzauberung, die, -en; 67
Verzeichnis, das, -se; 67
verzeihen *; 95
Vielfalt, die; 86
Viertelstunde, die, -n; 12
Visage, die, -n (frz., = Gesicht; umgangsspr., abwertend); 100
Vision, die, -en; 81
Visite, die, -n; 57
visuell; 50
Vitamin, das, -e; 48
Vitamintablette, die, -n; 52
Vize-; 26
Vizepräsident, der, -en; 29
Vokalfolge, die, -n; 50
Vokalstruktur, die, -en; 50
Volk, das, "-er; 77
Volkshochschule, die, -n; 11
Volksmärchen, das, -; 69
Volksschule, die, -n; 105
volkstümlich; 76
Volleyball, der (das Volley-ball-Spiel); 7
Volleyballspieler, der, -; 7
Volleyballspielerin, die, -nen; 7
Vollmacht, die, -en; 58
von oben herab; 88
vor Ort; 48
Vorabend, der; 99
vorangehen *; 49 *precede*

voraussichtlich; 43 *expected*
Vorauszahlung, die, -en; 38
vorbeifahren *; 88
vorbereiten (sich); 11
Vorbereitungsarbeit, die, -en; 34
vorbeugen; 51 *prevent*
Vorbeugung, die; 51
Vorgehen, das; 26
vorgestern; 43
vorher; 6
vorig-; 43
Vorlage, die, -n; 19
vorläufig; 91
Vorlesungsverzeichnis, das, -se; 67
vorletzt-; 18
Vorschau, die, -en; 33
Vorschrift, die, -en; 19
Vorsitz, der; 26
Vorsitzende, der/die, -n; 17
Vorstand, der, "-e; 26 *board*
Vorstandsmitglied, das, -er; 26
Vorstandsvorsitz, der; 26
Vorstellung, die, -en; 19 *idea*
vortragen *; 37
vorüberrollen; 12
vorwärts; 9
Vorzeitigkeit, die; 14
vorzugsweise; 51

W
wach; 52
Wachau, die; 89
Wachtmeister, der, -; 96
wagen; 61 *venture*
waghalsig; 96
Wahl, die, -en; 50, 76
wahrhaft; 68
Wahrscheinlichkeit, die; 73
Wahrzeichen, das, -; 16
Waldstraße, die, -n; 100
Wanderweg, der, -e; 87
Wandverkleidung, die, -en; 40
Wandzeitung, die, -en; 58
Wärmekraftwerk, das, -e; 91
Warmmiete, die, -n; 38
Wäsche, die; 39
Wasseranschluss, der, "-e; 41
Wasserfall, der, "-e; 71
Wasserkraft, die; 91
Wasserkraftwerk, das, -e; 91
Wasserpflanze, die, -n; 90
Wechsel, der, -; 37
wecken; 101
weder – noch; 15
wegdenken *; 7

Wegesrand, der; 82
Weglein, das, -; 97
wegnehmen *; 40
wegstrecken; 61
wehmütig; 97 *nostalgic*
wehren, sich; 67 *defend oneself*
Wehrmacht, die; 31
Weib, das, -er (veraltet); 94
weich; 12 *soft*
weihen; 88
Weihnachtsplätzchen, die (Pl); 22
Weile, die; 95
Weinterrasse, die, -n; 86
Weise, die, -n; 44
weise; 67
weiterbilden (sich); 31
weitergeben *; 98
welken; 77
Weltall, das; 70
Weltbevölkerung, die; 41
weltbewegend; 77
Weltmarkt, der, "-e; 47
weltoffen; 81
Werbekampagne, die, -n; 49
werben *; 94
Werdegang, der; 31
Werkshalle, die, -n; 26
Werktag, der, -e; 39
Wertvorstellung, die, -en; 81
Wesen, das, -; 17, 90
weshalb?; 43
Wessi, der, -s (= der Westdeutsche); 80
Westalliierten, die (Pl); 78
Westdeutschen, die (Pl); 79
Westdeutschland; 79
weswegen?; 43
Wetterbericht, der, -e; 33
Wettkampf, der, "-e; 7
Whisky, der (engl.); 95
Widerlichkeit, die, -en; 76
widmen; 40 *devote oneself*
Wiedersehensfeier, die, -n; 98
wieder vereinigen; 80
Wiedervereinigung, die; 80
Wilde Westen, der; 95
willkommen; 12
Wimper, die, -n; 68 *lash*
winden (sich) *; 97
Wirkstoff, der, -e; 49
Wirkung, die, -en; 49
Wirkungsmittel, das, -; 50
Wirt, der, -e; 95
Wirtschaftskriminalität, die; 82
Wissenschaft, die, -en; 67

wissenschaftlich; 47
Witz, der, -e; 37
Wochenendfahrer, der, -; 38
wodurch?; 103
wofür?; 103
wogegen?; 104
Wohlbefinden, das; 49
wohlgeformt; 68
Wohnblock, der, -s; 44
Wohngelegenheit, die, -en; 38
Wohntraum, der, "-e; 40
Wohnungsanzeige, die, -n; 36
Wohnungsbesichtigung, die, -en; 39
Wohnungssuche, die; 36
Wohnverhältnisse, die (Pl); 41
Wohnzimmergarnitur, die, -en; 60
Wolle, die; 67
Wort-Igel, der, -; 21
Wortsymmetrie, die, -n; 50
Wortwiederholung, die, -en; 83
worum?; 104
worunter?; 104
wozu?; 11
wund; 36
wundersam; 67
Wunschgast, der, "-e; 27
Wunschsatz, der, "-e; 74
Wurstwaren, die (Pl); 93
Wut, die; 76

X
x-mal; 88

Z
Zahlenmaterial, das; 47
Zahlung, die, -en; 39
zärtlich; 68 *tender, loving*
Zeichen, das, -; 69
Zeichner, der, -; 96
Zeichnerin, die, -nen; 96
Zeitaufwand, der; 48
zeitig; 99 *early*
zeitlos; 13 *timeless*
Zeitlupe, die, -n; 6 *slow motion, replay*
Zeitpunkt, der, -e; 43
Zeitungsausschnitt, der, -e; 40
Zeitungsmeldung, die, -en; 101
Zensur, die; 50
Zentimeter, der, -; 102
Zeremonie, die, -n; 40
zerknittert; 21
zerreißen *; 97 *overcome with remorse, crazed*

117

Alphabetische Liste der neuen unregelmäßigen Verben in Kapitel 31–40

Formen der einfachen unregelmäßigen Verben in Kapitel 31–40

In dieser Liste finden Sie die einfachen Formen aller unregelmäßigen Verben, die in Moment mal!, Kapitel 31–40, neu vorkommen. Abgeleitete Verben bilden die gleichen Formen wie die einfachen Verben:

einfach: *fahren* *fuhr* *hat/ist gefahren*   abgeleitet: *abfahren* *fuhr … ab* *ist abgefahren*

° Das Perfekt und Plusquamperfekt dieser Verben bilden süddeutsche, österreichische und schweizerische Deutschsprecher in der Regel mit „sein" statt mit „haben".

Infinitiv	3. P. Sg. Präteritum	3. P. Sg. Perfekt (hat/ist + Part. II)	Infinitiv	3. P. Sg. Präteritum	3. P. Sg. Perfekt (hat/ist + Part. II)
befehlen	befahl	hat befohlen	° liegen	lag	hat/ist gelegen
biegen *bend*	bog	hat gebogen	nehmen	nahm	hat genommen
binden	band	hat gebunden	nennen	nannte	hat genannt
bitten	bat	hat gebeten	pfeifen *whistle*	pfiff	hat gepfiffen
bleiben	blieb	ist geblieben	raten	riet	hat geraten
brennen	brannte	hat gebrannt	reißen	riss	hat/ist gerissen
bringen	brachte	hat gebracht	rinnen *run*	rann	ist geronnen
denken	dachte	hat gedacht	scheiden *divide*	schied	hat/ist geschieden
empfangen *ger*	empfing	hat empfangen	scheinen	schien	hat geschienen
fahren	fuhr	hat/ist gefahren	schieben	schob	hat geschoben
fallen	fiel	ist gefallen	schließen	schloss	hat geschlossen
fangen	fing	hat gefangen	schreiben	schrieb	hat geschrieben
finden	fand	hat gefunden	schwinden *dwindle*	schwand	ist geschwunden
fliegen	flog	hat/ist geflogen	sehen	sah	hat gesehen
fliehen	floh	ist geflohen	sinken	sank	ist gesunken
fließen	floss	ist geflossen	° sitzen	saß	hat/ist gesessen
fressen	fraß	hat gefressen	spinnen	spann	hat gesponnen
frieren	fror	hat gefroren	sprechen	sprach	hat gesprochen
geben	gab	hat gegeben	° stehen	stand	hat/ist gestanden
gehen	ging	ist gegangen	stehlen	stahl	hat gestohlen
gleiten *glide*	glitt	ist geglitten	steigen	stieg	ist gestiegen
graben *dig*	grub	hat gegraben	stoßen	stieß	hat/ist gestoßen
° hängen	hing	hat/ist gehangen	streichen	strich	hat gestrichen
halten	hielt	hat gehalten	tragen	trug	hat getragen
heben	hob	hat gehoben	treffen	traf	hat getroffen
heißen	hieß	hat geheißen	treiben	trieb	hat getrieben
klingen	klang	hat geklungen	°treten	trat	hat/ist getreten
kommen	kam	ist gekommen	verzeihen *twist*	verzieh	hat verziehen
laden *load*	lud	hat geladen	werben *recruit*	warb	hat geworben
lassen	ließ	hat gelassen	werden	wurde	ist geworden
laufen	lief	ist gelaufen	winden	wand	hat gewunden
leiden	litt	hat gelitten	ziehen	zog	hat/ist gezogen
leihen	lieh	hat geliehen			

Quellen

Alle anderen Abbildungen: Theo Scherling

In einigen wenigen Fällen ist es uns trotz intensiver Bemühungen nicht gelungen, die Rechteinhaber zu ermitteln.
Für entsprechende Hinweise wären wir dankbar.